Blandine Le Callet

Dix rêves de pierre

nouvelles

Stock

Couverture Atelier Thimonier
Conception graphique : Pierre-André Cuny
Photographie de couverture : © 2010 Tristan Savatier/
Getty Images

ISBN 978-2-234-07477-4

*Les épitaphes citées dans ce recueil
sont authentiques.*

Hermès

Il se doutait bien qu'il ne dormirait pas – comment aurait-il pu, après une telle nouvelle ?

Au lieu de rester dans sa petite chambre dont l'air, par cette chaleur, était irrespirable, il a décidé d'aller passer la nuit là-haut, sur la terrasse. Il savait qu'il y trouverait un semblant de fraîcheur, et l'enivrante douceur de la glycine. Et puis, il voulait voir le ciel.

Allongé sur le dallage encore tiède, la tête bien calée sur ses bras repliés, il a contemplé les étoiles. Certains disent qu'elles sont les âmes des morts montées au ciel, muettes et scintillantes pour l'éternité. Il aurait aimé le croire, pouvoir imaginer que sa mère était là, quelque part dans cette immensité, transfigurée après une vie de servitude. Ç'aurait été réconfortant, assurément.

Mais le maître affirme que ce sont des foutaises : après la mort, notre être se dissout, atome après atome, et il ne reste rien au bout du compte, ni corps ni âme, seulement des particules anonymes dispersées çà et là – inutile d'en faire un drame, il n'y a qu'à l'accepter. D'ailleurs, ajoute le maître, à bien regarder les astres, on n'y voit que du feu, de gros feux de fourneau qui brûlent dans le ciel. Rien de divin là-dedans. Rien qui puisse influer le cours de nos destinées et nous apprendre l'avenir, comme le prétendent les astrologues et autres charlatans.

Le maître a raison, sans aucun doute. Mais on peut toujours rêver : cette nuit, en scrutant, près de la queue de la Grande Ourse, une minuscule étoile dont il ignore le nom, Hermès a voulu se persuader que c'était elle, sa mère, veillant sur lui, humble et belle, comme de son vivant. Et il a réussi ; l'espace d'un instant, il a perçu comme un éclair, une vibration de l'air : sa mère se réjouissait de ce qui lui arrivait.

S'il savait, le maître le traiterait sûrement d'imbécile, ou bien d'halluciné ! Puis, avec l'indulgence qu'il lui a toujours témoignée, il ajouterait que ça n'est pas bien grave, ces histoires de constellations, d'âmes éternelles, et d'horoscope. Après tout, rien n'interdit de faire semblant d'y croire, du moment qu'on n'y croit pas vraiment…

Il comptait rester seul sous cette immensité, à mesurer sa joie et rêver à l'avenir, lorsqu'elle est arrivée, un peu après minuit :

– Ah, Hermès, je pensais bien qu'avec cette chaleur je te trouverais ici !

– Je n'arrivais pas à dormir.

– Alors nous sommes deux.

– La vieille, encore ?

– S'il n'y avait qu'elle, ce ne serait rien : depuis le temps, je me suis habituée à ses ronflements et à son odeur de vinasse. Mais ces sales petits monstres, je ne les supporte plus !

Il y a quelques semaines, la chienne de la maison a mis bas une portée de huit chiots qui dorment avec leur mère à la cuisine, dans un panier, près de l'âtre. Enfin, dormir est un grand mot : chaque nuit, ils se lancent dans des cavalcades infernales, couinent, jappent, se battent, et pissent un peu partout. Thaïs couche juste à côté ; depuis des jours, elle n'a pas fermé l'œil. N'y tenant plus, elle a décidé de se réfugier sur la terrasse afin d'échapper au vacarme.

Dans l'ombre, il ne distinguait pas les traits de son visage, seulement sa silhouette sombre et nerveuse qui allait et venait.

– Je deviens folle, je t'assure ! a-t-elle gémi en secouant la tête avec désespoir ; ses boucles d'oreilles à pampilles de bronze ont cliqueté, comme deux gros insectes exaspérés. Je crois que je vais finir par tous les trucider !

Elle en pleurait de fatigue.

– Ma douce, viens donc là, te coucher près de moi, a-t-il répondu d'une voix apaisante.

Elle s'est étendue sans rien dire, docile, pour une fois – signe qu'elle était vraiment à bout de force, a-t-il pensé. Il l'a enlacée, caressant son épaule, et très vite, il l'a sentie se détendre entre ses bras. La bouche près de son oreille, il lui a murmuré des mots doux en respirant l'odeur qui montait de son cou, une odeur de menthe, de feu, d'oignon nouveau, de sel, de miel, d'épices et de viande rôtie – toutes les saveurs qui lui restent de ces longues journées passées dans la cuisine, et des herbes qu'elle broie pour mettre dans ses drogues. Elle s'y connaît dans l'art de fabriquer des remèdes. C'est la vieille qui lui a tout appris, avant de tout oublier avec l'âge et le vin.

Tandis qu'il la tenait ainsi, étroitement enlacée, sa jolie croupe ronde plaquée contre son ventre, il lui est soudain venu une furieuse envie de la prendre, là, sans façon et sans préliminaires, comme ils aiment le faire à l'occasion. Il sentait son corps tiède, accueillant, aucun obstacle entre eux, juste un peu de tissu à faire glisser sur sa peau brune – pourquoi donc s'en priver ?

Mais d'abord, il voulait lui annoncer la nouvelle :

– Thaïs, a-t-il murmuré, tentant de mettre un frein à son excitation. Thaïs, j'ai quelque chose d'important à te dire.

Elle n'a pas bougé. Il s'est soulevé sur le coude et s'est penché sur elle.

– Thaïs ?

12

Elle a eu un petit gémissement, comme un semblant de réponse, puis ses lèvres entrouvertes ont laissé échapper un léger ronflement. Alors, il a souri :
– Dors bien, ma jolie…
Et il s'est rallongé à côté d'elle, heureux, comblé malgré ses désirs inassouvis.

**

Les étoiles ont pâli. L'aube n'est plus très loin. Les contours des choses émergent de la nuit, des formes sans couleurs mais déjà bien distinctes : la glycine au-dessus d'eux, ses fleurs en lourdes grappes qui oscillent dans le vent au milieu du feuillage, le banc de pierre, là-bas, trois jouets oubliés par les enfants… Il se sent épuisé, et il a un peu froid, mais quelle importance ?

Thaïs dort toujours. Il admire son profil, nez busqué, front hautain, bouche grave. Même dans son sommeil, elle a cet air farouche rappelant qu'elle est issue d'une lignée de sorcières et de femmes fatales. Elle prétend que l'une de ses ancêtres est cette courtisane fameuse pour laquelle, il y a près de cinq siècles, Alexandre le Grand incendia Persépolis. Il la croit volontiers.

C'est une sacrée peste ; elle lui en a fait voir, avec son caractère. Mais ça lui plaît, au fond, même s'il ne l'avouerait pour rien au monde. Et puis, elle sait se montrer si douce, parfois, et si entreprenante. Il n'a aucun doute : il ne s'est pas trompé.

Il va la contempler jusqu'à ce qu'elle se réveille. Puis il la conduira au bord de la terrasse, d'où l'on peut voir les flots à l'infini. Et là, il lui dira.

**

La mer est lisse et rose sous le soleil levant, le ciel plein d'oiseaux blancs. Au loin, la ville se dresse derrière ses grandes murailles toutes neuves : *C'est beau*, murmure Thaïs en s'étirant. Il ne répond rien. La ville est belle, c'est vrai : suite au terrible incendie qui l'a presque entièrement ravagée il y a dix ans, ses habitants ont voulu la reconstruire encore plus somptueuse, avec de larges places entourées de portiques, et de longues promenades plantées de lauriers-roses. Après avoir effacé toute trace de la catastrophe, la cité proclame son opulence et son désir d'éternité dans une débauche de marbre et de bronze étincelant.

Mais elle a beau briller, fière de sa nouveauté, au fond rien n'a changé : la ville pue comme avant; la merde coule dans les rues au milieu des eaux sales, et les immondices s'entassent un peu partout, sans cesse retournées par les vagabonds et les chiens errants. On les chasse sans cesse; ils reviennent toujours : qu'ils soient hommes, qu'ils soient chiens, ils savent qu'en fouillant patiemment les

14

détritus, ils trouveront de quoi survivre – les riches sont si riches qu'ils ne savent plus ce qu'ils jettent ; ils sont généreux sans le vouloir.

À la tombée du jour, on expulse les mendiants avant de refermer les portes de la ville. Ils passent la nuit au pied des murailles, dans des campements de fortune. Ils allument des feux par dizaines – cela fait une couronne brillante tout autour des remparts, *une couronne de misère*, comme dit le maître.

Alors oui, c'est vrai, la ville est belle ; mais mieux vaut la voir de cette terrasse, au loin, en serrant contre soi la fille qu'on aime.

– Hermès, à quoi tu penses ?

– À rien...

– Alors, cette grande nouvelle ? Tu vas te décider à me dire ce que c'est ?

Il regarde son visage intrigué, légèrement impatient. L'instant est important pour eux deux – elle ne devine pas encore à quel point.

– Voilà...

Il se racle la gorge :

– Hier, juste avant de partir, le maître m'a annoncé qu'il allait m'affranchir. Et... il va t'affranchir, toi aussi.

Elle pousse un cri de surprise qu'elle étouffe aussitôt en se mettant les deux mains sur la bouche.

– On va pouvoir se marier, comme des personnes

libres. On restera ici, moi comme précepteur, toi comme cuisinière. Mais on aura un salaire en échange de nos services. Et un jour, peut-être, on pourra s'installer tous les deux quelque part, pas loin. Le maître a dit qu'il nous aiderait.

Elle le regarde, abasourdie, des larmes plein les yeux.

– Il compte l'annoncer officiellement à son retour de voyage, dans dix jours, pour les fêtes du solstice. D'ici là, il m'a demandé de ne rien révéler… mais tu vois, je n'ai pas pu résister.

Elle ne dit rien; elle pleure. Il l'enlace, et la laisse pleurer, parce que ces larmes sont tout sauf du chagrin.

– Hier soir, quand tu es venue me rejoindre, j'ai voulu t'en parler, mais tu dormais déjà!

Elle se met à rire en s'essuyant les yeux.

– Tu te rends compte, ma chérie, la chance que nous avons? fait-il d'une voix tremblante. Depuis hier, je suis tellement heureux que je n'ai pas pu fermer l'œil. J'ai… j'ai pensé à ma mère, et j'ai imaginé la vie qui nous attend, Thaïs. Une belle vie, j'en suis sûr : je l'ai vu cette nuit dans les astres.

Elle renifle :

– Tu crois aux astres, maintenant!

– Oui, aujourd'hui j'y crois.

Elle se serre contre lui en souriant, comme gagnée elle aussi par cette certitude, et ils restent là, sans un mot, tandis qu'au même moment, dans la cuisine, les chiots s'éveillent et se mettent à chercher en piaulant les mamelles de leur mère.

**

Elle a dû le quitter assez vite – tant de travail l'attendait en cuisine ! Elle lui a proposé de venir partager avec elle un petit déjeuner au coin du feu.

– Pars devant, a-t-il dit. Je te rejoins bientôt.

Il avait besoin de rester seul un moment. Elle l'a embrassé :

– Ne tarde pas trop.

Elle avait des yeux de femme amoureuse et provocante. Juste avant de s'en aller, elle lui a demandé :

– Pourquoi est-ce que le maître a choisi de t'affranchir, à ton avis ? Tu n'as que vingt-cinq ans. D'habitude, on n'affranchit pas les esclaves aussi jeunes.

– Je ne sais pas…

Elle a souri :

– Le maître t'aime beaucoup…

– …

– Vraiment beaucoup, n'est-ce pas ?

Elle le regardait avec un air bizarre qui l'a mis mal à l'aise. Il ne savait pas quoi dire. Puis elle a murmuré après quelques instants :

– Ça crève les yeux, quand on y pense…

Il s'est senti rougir, sans trop savoir pourquoi :

– Qu'est-ce que… qu'est-ce que tu veux dire ?

Elle a eu un petit rire étrange :

– À tout de suite, mon amour !

Et puis elle a filé, le laissant troublé, avec, dans l'oreille, le bruit de ses pas légers dans l'escalier.

À présent, il est seul à tourner en rond sur la terrasse, en proie à une agitation indescriptible. *Il t'aime vraiment beaucoup.* Elle a refusé d'en dire plus, mais il sait parfaitement ce qu'elle entendait par là. *Ça crève les yeux, quand on y pense.* Pas besoin d'explication, les choses sont assez claires : elle a insinué que lui et le maître… que leurs relations… bref, elle s'imagine qu'il couche avec le maître. Qu'il est le favori, le chéri, celui que l'on remercie de ses bons offices en lui confiant l'éducation des enfants, et en l'affranchissant bien avant l'heure.

Il frémit, indigné. Lui et le maître, c'est absurde ! *D'abord, le maître n'a pas le goût des garçons… et d'ailleurs, moi non plus, elle devrait le savoir !* Lui et le maître, comment ose-t-elle l'envisager ?

Pourtant, il le sait bien, ce genre de relation entre maître et esclave n'a rien d'extraordinaire. C'est même monnaie courante, personne ne s'en offusque. Thaïs elle-même n'a pas du tout eu l'air de se formaliser – les esclaves ne se formalisent pas de grand-chose, il est vrai, et cela vaut mieux pour eux.

Malgré tout, il se sent mortifié qu'elle puisse un seul instant croire une chose pareille, comme s'il s'agissait là d'une infamie. Le lien qui l'unit à son maître est si différent, si profond et dénué de toute équivoque !

Aussi loin qu'il se souvienne, le maître ne l'a jamais traité en esclave. Il a tenu à ce qu'il soit éduqué, le faisant élever avec ses propres fils – ceux qu'il a eus de son premier mariage –, dont il partageait les leçons et les jeux. Comme il était un peu plus âgé qu'eux – deux ou trois ans, pas plus –, le maître disait souvent : *Tu es le plus grand, Hermès ; je compte sur toi pour montrer l'exemple*, et ça le rendait fier à un point incroyable.

À douze ans, il savait tout ce que doit savoir un jeune citoyen de cet âge : il possédait de solides notions d'arithmétique et de géométrie, parlait le latin aussi bien que le grec, et savait réciter par cœur l'*Énéide*, l'*Iliade* et l'*Odyssée*.

Et maintenant, me voilà devenu le précepteur des deux petits. Je ne pouvais pas recevoir plus clair témoignage de la confiance du maître et de son affection.

Il s'accoude au parapet, les yeux sur l'horizon. *Le maître a toujours été là dans ma vie. Pour tous les moments importants, il était là.*

Une image lui revient : sa mère sur le bûcher. Elle est allongée, avec cet air étrange qu'ont les morts, comme si ce n'était pas elle. Lorsque les flammes s'élèvent, enveloppant son visage, il se met à pleurer. Il sent la main du maître qui lui presse l'épaule :

– Ne pleure pas, Hermès. Elle n'a pas mal, tu sais. Elle ne sent plus rien.

Bientôt, sa mère n'est plus qu'un corps incandescent qu'il regarde, hébété, trembler entre les flammes, bouger parfois, comme s'il était vivant, puis noircir, lentement se dissoudre au milieu des craquements terribles du bûcher. Heureusement, le maître a laissé la main sur son épaule.

À la fin, le maître s'agenouille devant lui et lui dit :

– Tu sais ce qui aurait plu à ta mère ? Que tu te souviennes des bons moments que vous avez partagés. Tu verras, cela t'aidera à ne plus être triste.

Il a bien essayé, mais ça n'a pas marché. Se souvenir d'elle ne faisait qu'aviver son chagrin, attiser la cruauté du manque. Alors, il s'est efforcé de ne plus y penser, et la vie a repris.

Aujourd'hui, il l'a presque entièrement oubliée – il était si petit lorsqu'elle est morte, cinq ans à peine. Il se rappelle qu'elle était très jeune, un peu comme une grande sœur, qu'elle était toujours gaie. Mais en dehors de ça, il ne lui reste rien, rien de précis, à part le souvenir de cet après-midi au jardin, avec elle.

C'est la fin du printemps. Elle coupe des fleurs qu'elle lui tend une à une. Il les saisit avec précaution pour les coucher dans un panier presque aussi haut que lui. Elle dit : *J'ai de la chance de t'avoir pour m'aider.* Elle lui montre, dans le cœur d'une rose, un scarabée doré. Puis, quand tout est fini, ils remontent l'allée. Elle porte, coincé contre la hanche, le panier chargé de pivoines et d'iris. Il marche derrière. De temps en temps, les fleurs dépassant du panier lui caressent le nez, le poudrent d'un pollen qui le fait éternuer.

Soudain, elle pousse un cri. Le panier roule à terre. Il la revoit à genoux, les deux mains sur le ventre, grimaçante au milieu des fleurs éparpillées.

– Hermès, je n'arrive plus à me relever ! Cours chercher de l'aide !

On l'a ramenée à la maison, mais il n'y avait rien à faire. Même la vieille – qui n'était pas si vieille, à l'époque – a dit qu'elle ne pouvait plus rien.

Elle a mis dix jours à mourir. Durant tout ce temps, on l'a tenu à l'écart pour ne pas l'effrayer.

Cet après-midi au jardin, au milieu des fleurs, c'est le seul vrai souvenir qu'il ait d'elle – peut-être, justement, parce que c'est le dernier, avec celui du bûcher.

Il soupire. *J'aurais dû écouter le maître, conserver précieusement la mémoire de ma mère. Mais j'étais si petit… Maintenant, tout est perdu ; ça ne reviendra jamais.*

Cette conscience aiguë d'une perte irrémédiable le submerge soudain d'une tristesse infinie. *Allons, Hermès, reprends-toi. Qu'est-ce que le maître dirait, s'il te voyait ? Le chagrin est exécrable, voilà ce qu'il dirait. Il nous diminue, nous tue à petit feu. Il faut être heureux, Hermès ; la nature l'exige : chacun a le devoir de construire son bonheur, envers et contre tout.*

Hermès sait que ce ne sont pas de vains mots, des paroles creuses. La conduite du maître a toujours été en accord avec ses discours. À la mort de sa première femme, il n'a pas versé une larme. Il a simplement dit qu'une femme d'une telle bonté n'aurait pas apprécié de voir pleurer ceux qu'elle aimait.

Et lorsque ses deux fils se sont noyés en mer l'année suivante, il est demeuré tout aussi impassible. À peine une légère crispation du visage, lorsqu'on est venu lui annoncer la nouvelle. Juste après, il a dit : *La mort n'est rien pour nous.* Puis il s'est retiré dans sa bibliothèque, en demandant qu'on ne le dérange pas.

Ce jour-là, Hermès est resté accroupi près de la porte close, à sangloter sans bruit. Un moment, il a cru entendre derrière les battants des sanglots étouffés qui répondaient aux siens. Mais quand, à la tombée du jour, le maître s'est enfin décidé à quitter sa retraite pour aller s'incliner sur les corps de ses fils qu'on avait ramenés sur des civières, il avait les yeux secs.

En passant près de lui, il lui a touché l'épaule, comme il l'avait fait devant le bûcher de sa mère, et comme ce jour-là, il a dit :

— Ne pleure pas, Hermès,

juste avant d'ajouter d'une voix étrangement basse :

– Ce ne sont pas des larmes qui les feront revenir.

Hermès a acquiescé, avant d'éclater de nouveau en sanglots.

Quelques mois plus tard, la ville disparaissait dans le grand incendie. Située à l'écart, la propriété de son maître n'a subi aucun dommage, mais Hermès n'en conserve pas moins de la catastrophe un souvenir horrifié.

Pendant trois jours, les flammes ont tout dévasté. Il a contemplé leurs ravages, de cette même terrasse, fasciné par la sombre beauté de l'incendie. Le maître était à ses côtés, calme, comme à son habitude :

– C'est peut-être à cela que ressemblera la fin du monde, a-t-il dit sobrement : un immense incendie où tout se dissoudra. À moins que tout ne s'achève dans un tremblement de terre, un énorme séisme qui rétablira le chaos des origines. L'univers qui s'effondre, comme une vieille muraille minée au fil des siècles. Plus rien à l'arrivée, qu'un immense champ de ruines… Que devons-nous en penser, Hermès, selon toi ?

Sans attendre de réponse, il a juste ajouté, les yeux toujours fixés sur le brasier au loin :

– Une seule chose est sûre : ce monde aura une fin. Il n'y en a peut-être plus pour longtemps…

À ce moment précis, Hermès a cru que le

maître, vaincu par trop de deuils, cédait au désespoir, renonçait au bonheur.

C'était il y a dix ans. Depuis, il s'est remarié. Il a eu cinq enfants dont deux ont survécu – deux fils de quatre et cinq ans qui font sa fierté. De temps en temps, au détour de la conversation, il évoque la mémoire des disparus, toujours pour rappeler un souvenir joyeux, un moment agréable. Il leur arrive même d'en rire aux larmes. C'est sans doute cela qu'Hermès admire le plus chez son maître : cette volonté farouche de ne jamais donner prise au chagrin, ce courage d'être heureux.

Il regarde la ville, si belle sous le soleil, et l'idée lui vient, tout à coup, qu'elle a fait comme le maître, exactement : elle a tout reconstruit après la catastrophe. C'est tellement impressionnant, quand on y songe, cet acharnement, cette prodigieuse énergie. Mais c'est peut-être aussi que l'on n'a pas le choix, si l'on souhaite survivre.

Il soupire, incapable de savoir si cette pensée doit le réjouir ou l'accabler – sa nuit blanche lui brouille les idées.

Le jour est maintenant levé ; mais il est encore trop tôt pour réveiller les petits. Il a largement le temps d'aller dire à Thaïs ce qu'il a sur le cœur.

***

Elle est assise près de la cheminée, devant une flambée qu'elle vient d'allumer. Les chiots gambadent en jappant autour d'elle. De temps en temps, elle agite le pied pour chasser l'un d'eux qui s'accroche à ses jupes :

– Dégage !

Ô, ma jolie Furie, pense-t-il en la voyant secouer ses boucles brunes, sourcils froncés, yeux brûlants. Elle se tourne vers lui en l'entendant entrer :

– Ah, Hermès, viens t'asseoir !

Elle pousse les bottes de menthe et les tas de légumes qui encombrent la table pour libérer une place devant eux. Elle y pose une miche de pain frais, du fromage et du miel.

– Si tu veux, je peux aussi aller chercher des…

– Thaïs, coupe-t-il, il faut que je te dise : je ne couche pas avec le maître. Ça n'est jamais arrivé ; ça n'arrivera jamais. Le maître a toujours été pour moi comme un père. Je l'aime comme un père et… même si cela peut paraître prétentieux, je… je crois qu'il m'aime comme un fils. S'il m'a affranchi, c'est pour ça et rien d'autre !

Il voit les yeux de Thaïs s'agrandir de surprise :

– Mais Hermès, c'est exactement ce que j'ai voulu dire !

– Tout à l'heure, sur la terrasse, tes insinuations…

– Hermès, lui dit-elle en s'avançant vers lui. Hermès, regarde-moi.

Elle le dévisage intensément, et murmure :

– Tu as ses yeux… Tu as ses yeux, cela ne fait aucun doute. Comment se fait-il que tu ne t'en sois jamais rendu compte ?

***

Il y a des moments où tout prend sens, tout devient cohérent. C'est ce qu'il est en train de vivre, en cet instant précis, tandis que les deux garçons, assis à leurs pupitres, s'appliquent à tracer des figures géométriques sur leurs tablettes de cire.

Tout lui revient en détail : des gestes, des phrases qu'il n'a sur le coup pas su interpréter – comment aurait-il pu seulement oser l'envisager ? *Tu es le plus grand, Hermès ; je compte sur toi pour montrer l'exemple.* Comme ces mots ont pu le rendre fier ! Et quand le maître, il y a deux ans, lui a annoncé qu'il lui confiait l'éducation de ses enfants : *J'ai toute confiance en toi. Je sais que tu veilleras sur eux comme un frère.* Et cette volonté de faire de lui un esclave éduqué, cette attention constante, cette bienveillance jamais démentie. Et cette phrase qu'il lui a dite hier, tandis que, pleurant à moitié, Hermès le remerciait pour cette liberté inespérée : *Ne me remercie pas. Et sache qu'à mes yeux, tu as toujours été libre.* Cette main sur son épaule devant le bûcher de sa mère.

Cela fait longtemps qu'il aurait dû s'en rendre compte, en vérité. À cause du bûcher. On ne brûle pas les esclaves, d'habitude – cela gâche trop de bois ; on les enterre, sans linceul ni cercueil, dans une parcelle située en lisière de la propriété.

Sa mère a eu droit au bûcher. Pour ses cendres, le maître a donné une urne en bois de cèdre qu'il a mise en terre lui-même au cimetière des esclaves. Par-dessus, il a fait planter un cyprès. Hermès était bien trop petit à l'époque pour mesurer ce que tout cela avait d'exceptionnel. Mais maintenant qu'il y pense...

L'arbre est grand, aujourd'hui – cela fait plus de vingt ans. *J'en ai vingt-cinq, le maître quarante-neuf. Tout concorde.*

– Hermès, est-ce que c'est bien ?

– Oui, Thrason, c'est parfait ! répond-il en examinant le cercle maladroit tracé sur la tablette. Maintenant, dessine-moi un triangle.

L'enfant repart docilement se remettre au travail à côté de son frère.

Encore une heure, pas plus. Ensuite, je les emmène en promenade. Et peut-être, s'ils sont sages, faire un tour en bateau.

Il les regarde penchés sur leurs tablettes de cire, le stylet à la main, si concentrés, si désireux de bien faire que c'en est émouvant. Il se demande s'il les aime davantage depuis qu'il a compris le lien qui les unit. Non, en fait. Avant cela, il les aimait déjà autant qu'on puisse aimer.

Un léger cliquetis sur les dalles lui fait tourner la tête : c'est un des petits chiots qui arrive en courant, frétillant et pataud.

– Qu'est-ce que tu fais là, toi ? !

– Oh, comme il est mignon ! s'exclament les garçons.

– Allez, ouste, dehors !

– Hermès, pourquoi tu ne veux pas qu'il reste ici ? demandent-ils, désappointés.

– Parce que je vous connais : si on le garde, il va vous distraire, et vous ne voudrez plus travailler.

– Non, Hermès, on te promet : on sera sages.

– Tu parles ! grommelle-t-il.

– On te promet ! répètent-ils, implorants.

Il fait mine de réfléchir intensément, puis, au bout de quelques instants :

– Si j'ai votre parole que vous resterez attentifs…

– Oui, oui, tu as notre parole !

– Alors, c'est d'accord.

Ils sont fous de joie – c'est si simple de leur faire plaisir, comment dire non ? De toute façon, dès le début, il a su qu'il céderait.

Ils ont tenu leur promesse ; ils ont été très sages. Pour les récompenser, il leur récite le passage de l'*Odyssée* où Ulysse rend visite au cyclope Polyphème. C'est un de leurs préférés, parce qu'il fait un peu peur :

Au lieu de me répondre,
d'un cœur sans pitié, il s'élança,
tendit les mains vers mes compagnons,
en saisit deux ensemble
et les fracassa contre terre
comme de petits chiens.
Leur cervelle gicla sur le sol et imbiba la terre.
Il les découpa en morceaux, et en fit son dîner.
Il les dévora comme un lion
nourri sur les montagnes,
sans rien laisser, ni entrailles, ni chairs,
ni les os pleins de moelle,
déclame-t-il d'une voix caverneuse. Et les enfants
font *Beurk* en frissonnant, ravis.

Le chiot pousse soudain un jappement aigu,
comme un cri de douleur, et détale, griffes crissant
et glissant sur les dalles.

– Hermès, qu'est-ce qu'il a ? demandent les garçons.

– Il n'a rien. C'est un chiot. Les chiots ne tien-
nent pas en place.

– Tu crois que c'est l'histoire qui lui a fait peur,
à cause des petits chiens ?

– Mais non, Dexiphanès ; il n'a pas compris,
tu penses bien ! Il avait envie d'aller voir ailleurs,
c'est tout.

Sans prêter attention à sa réponse, l'enfant se
lève et court vers le seuil, guettant avec inquiétude
le couloir où le chiot s'est enfui.

– Dexiphanès, viens t'asseoir tout de suite ! L'histoire n'est pas finie.

Le garçon revient à contrecœur. Son frère insiste :

– Hermès, pourquoi il s'est enfui ?

Il lève les yeux au ciel :

– Vous voyez, je vous l'avais bien dit : à cause de cette bête, vous n'arrivez pas à vous concentrer !

Ils le dévisagent, l'air malheureux.

– Bon, soupire-t-il, vaincu, je crois qu'on en a assez fait pour aujourd'hui… Il est temps de sortir ; je vous emmène en promenade.

C'est alors qu'il sent la vibration, infime sous ses pieds, comme un frisson du sol. Le temps qu'il comprenne, tout se met à trembler, et l'espace s'emplit d'un grondement formidable.

D'instinct, il saisit les enfants par la main avant que la secousse ne les jette sur le sol, tandis qu'un fracas inouï déchire leurs oreilles, comme un coup de tonnerre au cœur de la maison.

Sortir, il faut sortir, se dit-il, mais il a l'impression que son corps se disloque au cœur de la secousse, os en miettes et fibres délitées, et sa tête – oh, sa tête ! –, fracassée, le bruit l'a transpercée, dans un craquement de poutres et de pierres brisées.

Un nuage de poussière déferle dans la pièce, si dense, si lourd, qu'ils se mettent à suffoquer. Il comprend aussitôt qu'une partie du couloir s'est écroulée, bloquant toutes les issues. Les petits hurlent et toussent, accrochés à ses bras.

Et d'un coup, tout s'arrête, aussi brutalement que ça a commencé. Durant quelques instants, ils demeurent prostrés, sonnés, le visage enfoui dans leurs vêtements.

Après tout ce fracas, le silence, soudain, lui paraît irréel, pour tout dire, stupéfiant, comme si le monde entier était mort autour d'eux. Même les garçons ressentent cette sidération. Ils ne crient plus, ne disent pas un mot, se contentent de se blottir contre lui en tremblant.

Très vite, il pense : *Il ne faut pas rester là. Ça va recommencer.*

– Venez, les enfants ! crie-t-il, entre deux quintes de toux qui l'étouffent à moitié.

Il les aide à se relever, tente de faire quelques pas. Mais le choc l'a désorienté, et la poussière l'aveugle. Affolé, il tourne un moment sans savoir où aller, avant de distinguer dans le nuage opaque une trouée blafarde : *Venez !* Il les entraîne, cramponnés à ses bras, en direction de la fenêtre.

À l'horizon, la ville n'est plus qu'un amas de décombres, une ruine de marbre sur laquelle déferlent des vagues immenses, sous un ciel incroyablement pur.

Ce n'est pas possible, se dit-il incrédule. *Pas maintenant ! Pas déjà !*

Il voudrait repenser à cette nuit, à ces dernières

heures – à Thaïs, à son maître, à sa mère –, se concentrer sur ces instants précieux, pour mieux affronter ce qui va suivre. Il ressent cette urgence, mais il n'a plus le temps : il sent déjà venir la deuxième secousse, la vibration profonde de la terre qui s'ouvre, de l'air qui se déchire. D'ici quelques instants, tout sera englouti.

Les petits contre lui demandent en pleurant :

– Hermès, qu'est-ce que c'est ?

Un moment, il est tenté de leur dire la vérité : *C'est la fin, les enfants. La fin du monde.* Mais il se contente de sourire, murmurant d'une voix calme :

– Ce n'est rien, les enfants. Venez, n'ayez pas peur.

Puis il les entoure de ses bras et les serre contre lui, tandis que la maison se disloque et s'effondre.

Thrason, fils de Diogène,
a élevé cette stèle en mémoire de ses deux fils,
Dexiphanès, âgé de cinq ans,
et Thrason, âgé de quatre ans,
et en mémoire d'Hermès leur précepteur,
âgé de vingt-cinq ans.

Lorsqu'on les a trouvés dans les décombres,
après le tremblement de terre, c'est ainsi
qu'il les tenait serrés contre lui.

Nicomédie
(actuelle Izmit, en Turquie),
vers 120 de notre ère

En dessous de cette épitaphe, la stèle représente, sculpté en bas-relief, un jeune homme étendu, deux enfants allongés de chaque côté du corps. Il a les mains posées sur leurs épaules.

« Cinq ans, six mois et dix-huit jours »

La rue grouille de monde. Il fait encore très chaud. Pompeius Catussa marche, sourire aux lèvres. C'est l'heure de la journée qu'il préfère, celle où le soleil n'est pas loin de disparaître derrière la colline, et où, rentrant chez lui dans le jour qui décline, il prend le temps de mesurer sa chance et remercier le destin.

De l'odéon lui parviennent des bribes de musique et les vocalises d'un duo de chanteurs – un homme et une femme. Sans comprendre les paroles, il devine aux modulations de leur chant qu'une dispute est en cours : les amours, sur scène, sont toujours compliquées. *Pas seulement sur scène, d'ailleurs*, se dit-il, moqueur, en songeant à Marcus Primius Secundianus et son horrible épouse.

Jamais des clients ne l'avaient traité avec autant de morgue et d'arrogance. Heureusement, le chantier de leur villa est bientôt terminé : encore quelques moulures à poser dans les chambres, et il sera débarrassé de ces deux-là ! *Il est grand temps, vraiment*, pense-t-il, soulagé. Depuis des mois que ça dure, il ne les supporte plus. Elle, surtout.

Chaque jour, la femme de Secundianus vient avec son mari surveiller l'avancée des travaux, parée comme pour une sortie mondaine : tissus précieux d'Orient, parfums et bijoux hors de prix, et sur la tête une invraisemblable perruque blonde à bouclettes formant comme un auvent au-dessus de son front. C'est sans doute la mode, chez les patriciennes de Rome ; mais sur l'épouse d'un provincial, si considérable soit-il, et au beau milieu d'une maison encombrée de gravats et de sacs de plâtre, c'est parfaitement grotesque !

Les ouvriers se moquent d'elle, en singeant dans son dos ses grands airs et son dandinement ridicule. Elle les fait bien rire, c'est sûr ; en attendant, il faut subir chaque jour ses critiques acerbes, ses caprices, ses volte-face, et ce n'est pas une partie de plaisir !

Hier, elle lui a fait arracher une frise de feuilles d'acanthe qu'il avait posée sur ses ordres, la veille, dans l'atrium. Finalement, elle voulait à la place des têtes de Gorgones. *Très bon choix !* a-t-il failli répondre, exaspéré. *Les visiteurs ne manqueront pas de noter la ressemblance avec la maîtresse de maison !* Il s'est retenu, bien sûr : ce chantier est trop lucratif pour qu'il prenne le risque de déplaire à la dame. D'ailleurs, personne ne prend ce risque, pas même son mari.

Marcus Primus Secundianus a beau être un notable parmi les plus en vue, un entrepreneur richissime et brillant, devant elle il devient un agneau : humble, soumis, tremblant. Les caprices de sa femme et ses changements d'avis ont terriblement alourdi la facture et fait prendre aux travaux un retard insensé, mais il ne bronche pas : il fait le gros dos et il paye comptant. Chaque fois qu'il ose une timide objection, d'un haussement de sourcil, elle le rappelle à l'ordre, et il baisse la tête avec un air contrit.

Certains jours, Pompeius Catussa serait tenté de le prendre en pitié. Mais son client se montre par ailleurs si arrogant avec les artisans, si odieux avec les ouvriers, qu'il n'est pas mécontent, au bout du compte, de le voir tyrannisé par sa Gorgone emperruquée.

Il pousse un soupir d'aise et allonge le pas. Il ne sera jamais un homme riche et important, comme Secundianus. Sur sa tombe, on n'inscrira rien de mémorable ou de glorieux. Mais il s'en moque bien. Car il possède un privilège immense, bien plus précieux que l'or et les honneurs, un trésor secret qui le rend indifférent à la morgue de son client : la femme de Secundianus est une guenon, une harpie sans cœur, alors que sa femme à lui…
Il sourit : sa femme est une déesse, tout simplement.

– Hé, connard, tu peux pas regarder où tu vas ?

Il sursaute, brusquement tiré de sa rêverie. L'homme en face de lui porte sur l'épaule une grosse poutre en pin.

– Tu fonçais droit sur moi, beugle-t-il. Si j'avais pas fait un bond de côté juste au dernier moment, tu venais te fendre le crâne là-dessus !

Du poing, il cogne la poutre qui résonne lugubrement.

– J'aurais eu l'air de quoi, si t'étais venu t'estourbir à mes pieds ? T'as failli me foutre dans une sacrée merde ! Alors quitte cette gueule d'ahuri, et dis-moi merci !

– Merci, bredouille Catussa. Et toutes mes excuses.

– C'est ça ! maugrée l'homme en se remettant en route.

Il a raison, je suis trop distrait. Un jour, ça me jouera des tours… Il tourne sur la droite, juste après le théâtre, et se fraie un chemin à travers la foule. Tout au bout de la rue, il oblique légèrement sur la gauche et s'engage sur la route qui descend vers le fleuve. L'air est plus frais, soudain, et la vue, comme chaque fois, le saisit : l'ombre portée de la colline sur la ville en contrebas, la campagne, au-delà, toute dorée de lumière. Et la courbe des fleuves – Saône et Rhône – qui serpentent, puissants, sillonnés de bateaux, jusqu'à ne former plus qu'un, au confluent, là-bas.

Malgré la beauté paisible du spectacle, il ne s'attarde pas : il a hâte de rentrer chez lui et de retrouver sa femme. En arrivant, il lui proposera de l'accompagner aux thermes d'Apollon ; ils s'y rendent souvent – rien de tel pour se détendre après une journée de travail. Lorsqu'ils se retrouvent le soir, après cela, leur peau frottée d'huile dégage des senteurs de fleurs et de santal qui invitent à toutes sortes de jeux. Un frisson parcourt son corps fatigué où luisent, par endroits, de fines particules de poudre de marbre. Sa jolie femme, son incomparable épouse ! C'est en pensant à elle et à tous les hasards qui les ont réunis qu'il prend soin, chaque soir, de remercier le destin.

À la mort de son père, il a quitté Vesontio pour venir vivre ici : la ville est prospère, et le travail ne manque pas, avec tous ces richards qui se font construire des villas sur la colline du forum ou dans les environs. Des négociants en vin, en huile ou en saumure, comme Secundianus, des fabricants d'outres ou d'amphores, des bateliers de la Saône ou du Rhône… pleins aux as, mais pas au point de pouvoir se bâtir des palais tout en marbre et porphyre. Alors, ils font appel à lui pour orner leurs maisons de colonnes doriques ou corinthiennes, de moulures et de frises, de sphinx et de masques : un joli décor de stuc pour le petit théâtre de leur vanité, qu'un peintre viendra ensuite rehausser de panneaux aux couleurs clinquantes et de savants trompe-l'œil – l'illusion sera parfaite !

Depuis plus de six ans qu'il est ici, il a eu le temps de se faire une réputation : il croule sous les commandes ; il gagne bien sa vie, en tout cas, bien assez. De toute façon, l'argent n'a jamais été une priorité. Il n'a pas besoin de cela pour se sentir important et heureux.

Face à la colline du forum sur laquelle a été édifiée la ville romaine, s'élève celle de Condate, la cité gauloise, de l'autre côté du fleuve. C'est là qu'il s'est installé avec sa vieille mère, dans une minuscule maison au bord de la Saône, juste à côté d'une forge. Pour la tranquillité, ce n'était pas l'idéal, mais enfin, c'était tout ce que l'argent laissé par son père leur permettait d'acheter, et pour deux, c'était bien suffisant.

Il s'est vite rendu compte que la plus grande nuisance ne venait pas de la forge, mais du forgeron, un colosse qui ne quittait jamais son tablier de cuir et ses bracelets de force. Il était veuf, nanti d'une tripotée d'enfants qui se ressemblaient tous : blonds et maigres, avec de grands yeux. De beaux enfants, vraiment, mais si crasseux, et l'air si tragique, qu'on n'avait guère envie de les regarder de trop près.

Tout le quartier le savait : le forgeron ne cognait pas que sur son enclume. Il tabassait tout le monde à la maison, pour un oui, pour un non. Souvent, on le voyait balancer des torgnoles à son fils Lucius qui l'aidait à la forge – un gamin efflanqué avec des yeux de fauve que son père envoyait au sol d'un simple revers de main : *Je sais même pas pourquoi j'essaie de t'apprendre le métier ! Avec des bras pareils, jamais tu pourras soulever un marteau !*

On disait que la femme du forgeron était morte sous ses coups, et deux de ses enfants – c'est fragile, le crâne d'un enfant, et le colosse ne sentait pas sa force. On le disait, mais on n'était pas sûr – il y a tant de façons de mourir, après tout.

Sa femme disparue, le forgeron l'avait remplacée par sa fille aînée – une belle fille de seize ans, robuste et saine – sans rien changer à ses habitudes : il la baisait et la frappait. Il lui avait même déjà fait un enfant, mort au bout de quelques jours, ce dont tout le monde avait été soulagé.

Sachant cela, Catussa s'est tenu autant qu'il l'a pu à l'écart de ce voisin peu fréquentable. Mais ses gamins traînaient partout autour de la maison. Voilà comment, un jour, il s'est retrouvé face à elle.

Elle avait douze ans, mais en paraissait dix, tout au plus, maigre comme un moineau et le corps couvert de bleus. Elle marchait, l'air perdu, un petit chat dans les bras. Elle s'est presque cognée contre lui.

– Est-ce que tout va bien ? lui a-t-il demandé.

– J'ai trouvé ce petit chat, sur la berge. Il est blessé.

– Montre-moi.

Elle a écarté les bras avec précaution. Le petit chat était mort, une entaille profonde en travers du ventre. Ça venait d'arriver ; il était encore chaud.

Elle a fondu en larmes. Il s'est senti ému : avec sa robe usée jusqu'à la trame, sa tignasse emmêlée et ses bras constellés d'ecchymoses, elle lui semblait bien plus à plaindre que la petite bête sur laquelle elle pleurait.

Elle voulait enterrer le chaton. Il lui a donné un fragment de stuc pour décorer la tombe, comme ça ; il avait envie de lui faire plaisir. Elle a remercié. Il a demandé son nom. Elle a dit : *Blandinia*.

Les mois qui ont suivi, chaque fois qu'il la voyait, il lui disait un mot, en passant, pour être gentil. Elle répondait à peine, tellement sauvage, et toujours quelque part une marque de coup : l'œil poché, la pommette noircie, la lèvre tuméfiée, comme tous ses frères et sœurs.

Elle le mettait mal à l'aise, avec son air étrange, presque hors du monde, et la pitié qui le prenait dès qu'il croisait son regard. Mais il ne pouvait rien pour elle, vraiment. Il ne voulait pas d'ennuis avec le forgeron.

Des ennuis, il en avait assez : la santé de sa mère se dégradait. Jambes et pieds rongés d'ulcères, elle était devenue totalement impotente. Après des journées de travail harassant, il fallait encore s'occuper d'elle – la laver, la changer, nettoyer ses ulcères, les enduire de pommades, refaire les bandages –, et aussi assumer toutes les tâches qu'elle ne pouvait plus accomplir. Ça n'était pas très gai, et surtout ça ne lui laissait pas le temps de penser à autre chose.

Sa mère ne cessait de lui dire :

– Pourquoi tu ne te maries pas ? Ta femme pourrait tenir la maison et s'occuper de moi. Tu n'aurais plus à te charger de tout ça.

Elle n'avait pas tort, c'est sûr : sa vie aurait été plus simple avec une épouse pour le décharger de ces corvées. Une épouse aurait tout arrangé. Mais il n'avait aucune envie de se marier. Il se contentait d'une fille de temps en temps, rencontrée au hasard, et pas trop farouche – ce n'est jamais difficile à trouver. En avoir une à demeure, c'était une autre histoire : il devait déjà supporter le caractère de sa mère, aigri par la souffrance. Alors, une femme en plus...

Rien ne serait arrivé si Blandinia ne possédait ce pouvoir extraordinaire de voir les démons, les génies, les fantômes, tous ces esprits revenus de l'au-delà qui nous frôlent sans cesse, insoupçonnables – ou alors seulement par instants, mais rien n'est jamais sûr. Elle, les distingue clairement. Elle leur parle, aussi. Elle a ce don.

C'est apparu juste après la mort de sa mère : une fois, elle a cru l'entendre, dans un rêve, lui dire : *Je suis là. Je ne t'ai pas quittée.* Puis elle a commencé

43

à la voir, chaque nuit, et parfois même le jour :
sa mère venait la retrouver dans la maison, ou
près de la fontaine, lui parler, fantôme évanescent
pourtant si plein de chaleur et d'amour que, pour
Blandinia, cela ne faisait presque aucune différence avec le temps où elle était en vie.

Le forgeron n'aimait pas que la morte revienne
dans sa maison. Ça le rendait nerveux de l'imaginer rôder autour de lui. Autrefois, sa femme avait
tout enduré sans rien dire. Mais à présent qu'elle
était devenue un spectre inconsistant, c'était une
autre histoire : elle n'avait sûrement plus peur de
lui, sachant que ses gros poings ne pouvaient rien
contre elle. Qui sait s'il ne lui viendrait pas un
jour l'envie de se venger ?

Plus ses craintes augmentaient, plus le forgeron
harcelait Blandinia : est-ce que sa mère lui avait
dit pourquoi elle revenait ? Qu'est-ce qu'elles
complotaient, ensemble, des heures durant ? Mais
Blandinia n'avait rien à répondre : étrangement,
elle oubliait tout ce qu'elles se disaient au fur et
à mesure, ne gardant de leurs rencontres qu'une
impression de merveilleux réconfort. Le forgeron
n'en était pas plus rassuré : *Il faut que cela cesse*,
disait-il, menaçant. *Il faut que tu arrêtes avec tes
visions de sorcière. Je te préviens, je ne garderai
pas une sorcière sous mon toit !*

Une nuit qu'il rentrait tard, Pompeius l'a trouvée
accroupie à l'angle de la maison, en chemise de nuit.

C'était l'hiver, et il faisait si froid que les fleuves charriaient de gros glaçons qui s'amoncelaient sur les rives, emprisonnant la coque des bateaux amarrés aux pontons, si froid que les oiseaux gelaient dans les arbres, et restaient là perchés, raides morts sur leur branche, pattes figées par le givre.

Il a vu dans le noir une masse blanche, immobile. Il s'est approché, l'a reconnue : *Blandinia*, a-t-il dit, en lui touchant l'épaule. Elle n'a pas réagi. *Blandinia*. Elle avait perdu connaissance.

Il l'a prise dans ses bras – elle ne pesait rien, vraiment – et l'a portée dans sa maison. Il l'a enveloppée dans une couverture, l'a étendue près de la cheminée, lui a frotté les tempes avec du vin, a lavé le sang qui coulait de sa lèvre. Puis il l'a frictionnée, à travers la couverture, car il sentait bien qu'elle ne se réchauffait pas.

Lorsqu'enfin, elle a ouvert les yeux, elle avait l'air complètement égaré.

– Blandinia, tu me reconnais ?

– Catussa, le voisin…, a-t-elle balbutié.

– Je t'ai trouvée dans la rue tout à l'heure. Qu'est-ce qui s'est passé ?

– C'est à cause de mon rêve.

Son père l'a jetée dehors, parce qu'elle avait crié dans son sommeil – ce n'était même pas un cauchemar, seulement sa mère qui était encore venue la visiter. Lorsqu'il a été temps pour elle de repartir, Blandinia a voulu la retenir – elle n'aurait jamais dû, a-t-elle reconnu, navrée, on ne doit pas chercher à retenir les fantômes.

Dans son rêve, elle a dit plusieurs fois *maman !*, de plus en plus fort au fur et à mesure que sa mère s'éloignait, jusqu'à ce qu'un coup de poing la réveille en sursaut.

Avant qu'elle ne comprenne ce qui lui arrivait, le forgeron l'avait empoignée par les cheveux, traînée jusqu'à la porte et jetée à la rue :

– Sorcière, tu ne pourras pas dire que je ne t'avais pas prévenue ! Maintenant, ne t'avise pas de remettre les pieds ici. Si jamais tu reviens…

Et il a levé haut le poing, en roulant des yeux de dément, avant de lui claquer la porte au nez.

Elle a voulu s'enfuir – pour aller où, elle ne savait pas très bien –, mais le froid l'a prise aussitôt, en chemise de nuit, les pieds nus dans la boue gelée. Elle a fait quelques pas, avant de se recroqueviller, et bientôt s'évanouir au coin de la maison de Catussa.

Quand elle a eu terminé son histoire, il n'a pas su quoi dire durant quelques instants. Qu'allait-il faire, maintenant ?

– Tu peux rester ici, si tu veux, a-t-il fini par proposer, sans vraiment réfléchir – il ne pouvait tout de même pas la mettre dehors.

Il l'a sentie frémir.

– Tu t'occuperais de ma mère, et aussi de la

maison... Je te paierais, bien sûr, pour le service rendu, a-t-il précisé, mal à l'aise.

Elle s'est recroquevillée, et l'a regardé à travers sa tignasse blonde emmêlée, avec un air d'animal traqué qui lui a tordu le cœur.

– Ne va pas t'imaginer..., a-t-il bredouillé. C'est... c'est une proposition honnête.

Elle a baissé la tête. Il a compris qu'elle ne le croyait pas.

– Tu n'as rien à craindre de moi...

Puis il a ajouté, en désespoir de cause :

– Blandinia, tous les hommes ne sont pas comme ton père.

Il était sincère : sa proposition était dénuée d'arrière-pensées. Il voulait l'aider, simplement – où serait-elle allée, sinon ? De toute façon, il ne la voyait pas comme une femme : ce n'était qu'une enfant, si sale, si décharnée ! Il avait pitié d'elle. Il n'imaginait pas pouvoir la désirer.

Le forgeron n'a fait aucune difficulté :

– Si tu la veux, prends-la, mais j'aimerais bien savoir ce que tu comptes en tirer. Rassure-moi : tu n'envisages tout de même pas la baiser, laide comme elle est, ou alors c'est que tu es vraiment tordu ! Enfin, moi, ça m'est bien égal, du moment que j'en suis débarrassé.

Maintenant que sa sorcière de fille était partie, il espérait que le fantôme de la morte suivrait le même chemin.

La vieille a mal pris la chose, au début : qu'est-ce qui lui était passé par la tête, de faire venir sous leur toit cette gamine maigrichonne qui tenait à peine sur ses jambes, cette sauvageonne à l'air halluciné ?

– C'est pour m'aider, maman. Elle s'occupera de toi et de la maison.

– On n'a besoin de personne, a répliqué la vieille, feignant d'oublier ce qu'elle lui serinait depuis des mois. On se débrouillait très bien jusqu'ici, toi et moi ! Pourquoi est-ce qu'on changerait ?

Pour finir, elle l'a accusé en pleurant de se débarrasser d'elle en la remettant aux mains d'une inconnue, comme on se décharge d'un paquet devenu trop encombrant.

Il n'a pas cédé ; Blandinia est restée avec eux. Il lui a installé un lit dans un coin de la salle commune. Lui, avait sa chambre au grenier, au-dessus de celle de sa mère.

Il lui a acheté une robe et une paire de chaussures : le forgeron avait refusé de laisser à sa fille autre chose que la chemise de nuit qu'elle portait lorsqu'il l'avait chassée.

Les premiers jours ont été difficiles pour Blandinia : la vieille lui menait la vie dure, lui faisant refaire sans cesse ses bandages sous prétexte qu'ils étaient trop serrés ou pas assez, repoussant systématiquement la nourriture qu'elle avait préparée – trop chaud, trop froid, trop salé, trop cuit –, geignant à longueur de journée.

Blandinia a tout supporté sans se plaindre : elle a recommencé des tâches qu'elle avait déjà parfaitement exécutées, corrigé des fautes inexistantes, réparé des oublis imaginaires, recuit des plats parfaitement à point… Rien ne semblait lui peser. Elle avait les yeux un peu vagues, parfois, mais toujours sur les lèvres un sourire paisible et mystérieux.

Très vite, la vieille s'est lassée : la méchanceté n'était pas sa nature, même si la souffrance l'avait rendue difficile. Et puis, jamais personne, pas même son fils, ne s'était montré aussi doux envers elle. Quand, après avoir débridé ses ulcères et lavé ses pieds pourris, Blandinia lui massait les jambes pour essayer de la soulager un peu, elle disait : *Ma petite fille, ne te donne pas tant de mal*, et lui venaient aux yeux des larmes de tendresse.

Il n'avait pas prévu ce qui arriverait. Dans l'état où elle était lorsqu'il l'avait recueillie, comment aurait-il pu ? Pourtant, c'est arrivé.

Libéré de la peur et des coups, mieux nourri, le corps de Blandinia s'est mis à se transformer – une métamorphose proprement sidérante. Six mois à peine après son arrivée, il a fallu lui acheter une autre robe. Une robe de jeune fille. Il n'en revenait pas.

Disparue l'enfant malingre et crasseuse qu'il avait accueillie sous son toit. Une autre avait pris sa place, avec des seins menus, des pommettes hautes, et une natte blonde qui lui descendait jusqu'aux reins. Il devait reconnaître qu'il la trouvait jolie.

Et puis, elle est devenue moins sauvage, à force, elle s'était rendu compte qu'il n'avait pas menti : il était un homme bien, pas de ceux qui lèvent la main dès qu'ils sont contrariés ; il ne lui ferait pas de mal. Alors, elle a quitté son air de bête traquée, et elle a consenti à sortir du bois.

Maintenant qu'elle était rassurée, elle parlait volontiers ; parfois même elle riait, et c'était bouleversant, ce rire, pour lui qui l'avait vue si triste, si brisée.

Malgré tout, Blandinia demeurait mystérieuse, entourée d'esprits. Certains jours, il l'entendait parler à sa mère qui l'avait suivie dans la maison ; elle murmurait : *Je ne sais pas. J'ai peur.* Et d'autres fois : *Ne te fais pas de souci. Tout ira bien.* Il n'arrivait pas à savoir si elle parlait d'elle-même ou de ses frères et sœurs.

Dès qu'elle pouvait, elle voyait son frère Lucius, en cachette du forgeron. Elle lui donnait du pain, des gâteaux, du fromage, achetés avec les quelques sous que lui versait Catussa, en lui disant : *Pour toi. Pour les petits.* Lorsqu'il la remerciait, elle répondait : *Ne me remercie pas. Deviens fort, c'est tout.*

Un jour, Catussa a bien dû se rendre à l'évidence : il l'aimait. Il la désirait, violemment. Mais il craignait tellement de perdre sa confiance qu'il n'aurait pas risqué le moindre geste, la moindre parole, rien qui puisse l'effrayer. Ça n'était pas facile, pourtant, d'oublier cette brûlure, cette morsure âpre, pas facile de se retenir alors qu'elle était là, si proche qu'il sentait sa chaleur et son souffle.

Certains soirs, ça le prenait tellement fort qu'il sortait se soulager dans les bouges, près des chantiers navals de l'île des Cabanes. Entre les bras d'une fille qu'il ne regardait pas, il chassait de son corps cette chaleur dévorante qui le rendait presque fou, se vidait la tête, et le reste.

Lorsqu'il rentrait, il trouvait la maison éteinte, en ordre pour la nuit, les braises du foyer recouvertes de cendre, et elle, étendue sur son lit, visage contre le mur. Il traversait la pièce avec précaution pour ne pas la déranger. Étrangement, il était persuadé qu'elle l'avait attendu et qu'elle ne dormait pas.

Combien de temps cela aurait-il duré ? Il ne sait pas, et ne le saura jamais. La sœur de Blandinia est morte, et cela a tout changé.

Un matin, en revenant de la fontaine, elle est tombée, comme ça, d'un coup, au milieu de la rue. On a d'abord cru qu'elle s'était évanouie, mais non : elle était morte, les yeux tout retournés, avec, à la racine des cheveux, une rougeur bizarre. Une voisine a dit que c'était sûrement une veine qui avait éclaté dans sa tête. Cela arrive, parfois, sans prévenir, et il n'y a rien à faire. Les gens agglutinés autour du corps ont hoché la tête, navrés : *Quelle tristesse, tout de même, une fille si gentille et si jeune.* Ils n'ont pas dit *si belle*, car elle ne l'était plus, plus vraiment – son père l'avait trop abîmée, à force.

Le forgeron a pleuré. Les enfants ont pleuré, et Blandinia aussi, quoiqu'elle ne se soit pas jointe à la procession des funérailles ; elle savait que son père ne l'aurait pas permis.

Après ça, le forgeron est devenu encore plus violent. Seulement, ça ne se passait plus comme avant.

À force de trimer à la forge à longueur de journée, charriant des bûches pour le four, des seaux d'eau pour la trempe des pièces, activant l'énorme soufflet jusqu'à épuisement, Lucius avait forci. Son père pouvait bien l'affamer, lui balancer des coups en le traitant d'incapable, ça ne l'avait pas empêché de grandir d'un coup – comme il arrive souvent aux garçons de quinze ans. Toute la nourriture que lui donnait Blandinia se transformait chez lui en muscle, en chair puissante. Il ne faisait désormais aucun doute qu'il deviendrait bientôt aussi imposant et fort que son père.

Un jour que le forgeron levait la main sur lui,

Lucius s'est emparé d'une tenaille chauffée à blanc, en menaçant de lui fracasser le crâne s'il osait recommencer ne serait-ce qu'une fois. Son père a hurlé, fou de rage :

– Je vais te massacrer, tu vas voir, je vais te massacrer !

– Essaie, a dit Lucius en pointant sur lui la tenaille.

Là, pour la première fois, le forgeron a vu son fils tel qu'il était vraiment : non plus le souffre-douleur efflanqué qu'il avait maltraité durant toutes ces années, mais un garçon robuste, dur à la peine – un homme, en fait, avec, aux poignets, les mêmes bracelets de force que lui.

Depuis, chaque fois que son père s'en prenait à l'un de ses enfants, Lucius s'interposait. Souvent, on entendait, provenant de leur maison, des éclats de voix, des rumeurs de lutte. Les petits s'enfuyaient en criant : *Lucius se bagarre encore avec papa !*, effarés que leur grand frère ose affronter ce colosse brutal à qui personne n'avait jamais dit non.

Un soir, le forgeron est venu frapper chez Catussa, beuglant, puant, et saoul comme un cochon. Il criait qu'il voulait voir sa fille, la ramener chez lui. Il la voulait tout de suite, tout de suite, gueulait-il en pointant son gros doigt sur Catussa. Puis, se tournant vers elle :

– J'ai besoin de toi ! Maintenant que ta sœur est plus là, j'ai besoin de toi !

53

Ils se sont regardés dans un silence transi. Blandinia s'est mise à trembler, tandis que le forgeron lançait à Catussa :

— T'es bien obligé de me la rendre, vu que... vu que je suis son père. Elle est à moi !

La langue pâteuse et les yeux larmoyants, il a répété plusieurs fois *à moi*, en se frappant la poitrine avec le poing, et ça résonnait là-dedans comme un antre de bête. Catussa en est resté saisi, ne trouvant rien à répondre. Alors, la vieille a dit :

— Ta fille ne peut pas revenir chez toi.

— Ah ouais ? a rétorqué le forgeron, essayant sans succès de se décoller du chambranle. Et pourquoi donc elle pourrait pas ?

— Elle ne peut pas, parce qu'elle et mon fils sont mariés.

Catussa a cru que la foudre lui tombait sur la tête. Il a regardé sa mère, assise sur une chaise devant la cheminée, une couverture jetée sur ses jambes malades. Elle qui se tenait d'habitude toute tassée et recroquevillée de douleur s'était redressée de façon insolite, le visage farouche, le regard mauvais. Ses cheveux blancs décoiffés formaient comme un halo autour de son visage. Ses yeux noirs semblaient capter la lueur des flammes pour la retourner en éclairs incendiaires. Elle était devenue effrayante et grandiose.

Le forgeron a rugi que ça n'était pas légal : Catussa n'avait pas le droit d'épouser sa fille sans son consentement. Il ne l'avait donnée à personne. Maintenant qu'il la voulait pour lui, rien ne l'empêcherait de la reprendre.

La vieille ne s'est pas démontée. Elle avait perdu l'usage de ses jambes, mais sa tête fonctionnait bien – mieux encore que Catussa ne l'aurait soupçonné –, et à cette heure elle était prête à tout pour défendre Blandinia. Elle a dit, froidement :

– Cela fait plus d'un an que ta fille vit avec mon fils. Ils sont donc mariés de fait. C'est légal. Tu ne peux rien contre ça.

– Qu'est-ce que c'est que ces conneries ? a hurlé le forgeron.

– Ça ne te plaît peut-être pas, mais renseigne-toi : c'est ce que dit la loi. Tout le quartier peut témoigner que ta fille vit ici, avec mon fils, depuis plus d'un an. Tout le quartier peut aussi témoigner que tu l'as reniée. Si mon fils ne l'avait pas recueillie, elle serait morte de froid. Alors, va donc essayer de contester leur mariage en arguant qu'on ne t'a pas demandé ton accord !

Le forgeron semblait abasourdi. Il a fait trois pas hésitants vers Catussa :

– Espèce de salopard, je vais te faire ta fête !

– Je ne crois pas, lui a répondu Catussa en regardant sa grosse carcasse chancelante.

L'autre lui a craché au visage une bordée d'injures et une haleine infecte. Mais, dans l'état où il se trouvait, c'est tout le mal qu'il pouvait lui faire. Catussa n'a eu qu'à le pousser, une fois, pour le faire reculer. Et tandis que l'ivrogne le dévisageait, incrédule, il a sifflé :

– Maintenant, va-t'en. Laisse *ma femme* tranquille. Et je te préviens, si tu t'avises un jour de venir l'ennuyer, tu trouveras à qui parler.

Puis il l'a poussé de nouveau, plusieurs fois, de plus en plus violemment – il avait en lui une sorte de rage, une envie de meurtre. Le forgeron a fini par s'écrouler au milieu de la route dans une flaque de boue. Sans attendre qu'il se relève, Catussa est retourné dans la maison, a claqué la porte et tiré le verrou.

Quand Blandinia et lui se sont retrouvés face à face, le soir venu, ils étaient comme deux inconnus incapables de savoir comment se comporter l'un avec l'autre. C'est elle qui a eu le courage d'aborder le sujet :

– Alors, vraiment, on est mariés ?

– Oui... Oui, il semblerait.

– Est-ce que... on doit dormir ensemble ?

– On n'est pas obligés. On... on peut continuer comme avant.

– Comme tu veux, a-t-elle répondu en baissant les yeux.

Elle s'est vite détournée, et il l'a entendue soupirer. Sur le coup, il a cru que c'était de soulagement. Plus tard, étendu seul, là-haut, il s'est demandé si ce n'était pas du dépit.

Et tandis qu'il se torturait avec ses doutes et ses

frustrations, il s'est rendu compte qu'on grimpait à l'échelle. C'était elle. *C'est ce que je veux*, a-t-elle dit. Elle a ôté sa robe, s'est glissée contre lui, ardente et douce, et lui a fait comprendre, par ses gestes, par sa fièvre, que cela faisait longtemps qu'elle en avait envie.

Le forgeron n'est jamais revenu. Trois semaines plus tard, à l'aube, on l'a trouvé mort au bord du fleuve, pas très loin de chez lui : les jambes sur la rive, et la tête sous l'eau.

On a dit qu'il était rentré ivre dans la nuit, comme presque chaque soir ces derniers temps. Qu'il n'avait pas réussi, dans le noir, à retrouver son chemin. Qu'il était venu se noyer là, sur la berge – pas de chance, vraiment, mais ça arrive.

Il avait la tempe gauche enfoncée, une sale blessure pas belle à voir. Sans doute, il se l'était faite contre une pierre, en tombant.

Son fils a repris la forge. Tout le monde admirait ses muscles saillants et l'aisance avec laquelle il maniait le marteau, en le levant bien haut, comme un trophée, avant de le laisser lourdement retomber.

***

Avant elle, il croyait que la vie se résume à gagner de quoi s'assurer un toit et manger chaque jour à sa faim. Être un bon artisan et se mettre à l'abri du besoin ; il ne poussait pas plus loin ses rêves et ses aspirations.

Depuis qu'elle est sa femme, il sait que l'on peut aussi être heureux.

Depuis qu'elle est sa femme, il ne se souvient pas d'avoir éprouvé un seul chagrin, sauf peut-être le jour où sa mère est morte, il y a deux ans – mais c'était pour elle une telle délivrance qu'il a fait son possible pour ne pas être triste.

Depuis qu'elle est sa femme, il n'est plus le même. Elle l'a changé : il se sent plus fort et meilleur – meilleur homme et meilleur artisan.

Il se sent fier, aussi, parce qu'elle est si belle. Lorsqu'ils se rendent aux thermes d'Apollon et qu'ils se retrouvent dans les jardins, après le bain, lorsqu'elle marche avec lui sous les portiques, le visage grave et rêveur – elle a toujours cet air au milieu de la foule, comme pour se protéger –, elle ressemble à une nymphe des eaux, une naïade gracile vers laquelle les regards se tournent avec admiration. Lui se dit : *Cette déesse est à moi. Elle a voulu de moi.* Et songeant à l'incroyable faisceau de circonstances qui les ont menés l'un vers l'autre, il bénit sa chance, remercie le destin, comme il le fait chaque soir, descendant la colline après avoir quitté la belle demeure de Marcus Primius Secundianus.

Le voilà parvenu au bord du fleuve, juste à l'entrée du pont qui mène à Condate. Un instant, il contemple, en face, le grand amphithéâtre dont la masse trapue domine les maisons construites bien serré le long des rues en pente. Puis très vite, son regard redescend vers la rive, suit le quai encombré de poutres entassées, de caisses et de ballots récemment déchargés des bateaux, continue jusqu'à sa maison, minuscule, là-bas, sa maison où sa femme l'attend. Il accélère le pas et s'engage sur le pont.

Tout au bout, il tourne sur la gauche. C'est alors qu'il l'aperçoit au loin, courant à sa rencontre. Il reconnaît sa silhouette frêle, et sa longue natte qui se balance en rythme derrière elle. Un curieux petit chien cabriole à ses côtés.

Elle arrive, essoufflée :

– Pompeius, j'avais tellement hâte !

Elle l'embrasse avec fougue, comme elle aime le faire.

– Chérie, tu es brûlante !

– C'est parce que j'ai couru.

– Tu es sûre que ça va ?

Elle sourit :

– Pompeius, j'ai quelque chose à te dire…

– Qu'est-ce qui se passe, chérie ?

– J'ai eu des nausées, aujourd'hui, des vertiges toute la journée…

Il fronce les sourcils, inquiet, soudain :

– Je te disais que tu n'avais pas l'air bien !

– Je ne suis pas malade, Pompeius ; c'est autre chose. Réfléchis : des nausées…

– Tu… tu veux dire que tu es… ?

– Enceinte, oui, je crois. Je suis presque sûre… Non, en fait, je suis sûre, je le sens. Tu es content ?

– Content ? Quelle question !

Il l'attire et l'enlace. Sa déesse. Il l'étreint comme on serre sa chance, à pleins bras.

À leurs pieds, le petit chien lance un bref aboiement.

– D'où sort-il, celui-là ?

– Je l'ai trouvé ce matin devant notre porte. Il a l'air tout jeune. Il est beau, n'est-ce pas ?

Beau n'est pas vraiment le mot. Cette couleur bizarre, entre le jaune et le roux ; et ce regard mordoré, étrangement profond…

– Depuis ce matin, il n'arrête pas de me suivre et de réclamer des caresses. Je crois qu'il m'aime bien. Dis, on peut le garder ?

– Si ça te fait plaisir…

Lentement, ils se mettent à remonter le quai. Elle s'appuie à son bras. Il la regarde avec une joie émue et vaguement inquiète. Oubliés les bains d'Apollon, la cohue de la ville bruyante et poussiéreuse. Il ne songe plus qu'à la soutenir, la protéger, comme si elle était devenue encore plus précieuse et fragile.

Le petit chien bondit et gambade autour d'eux. Soudain, il se fige, reste un temps en arrêt, une patte levée, puis court se poster sur le bord de la route, sentinelle incongrue, parfaitement immobile.

– Eh bien, qu'est-ce qui te prend ? demande Blandinia.

– Laisse donc, fait Pompeius.

Mais elle, sans l'écouter, se tourne vers le chien :

– Allez, viens ! dit-elle en se tapotant la cuisse pour l'attirer vers elle.

Le chien ne bouge pas, buté, indifférent.

– Toute la journée, je t'ai eu sur les talons, et maintenant tu ne veux plus me suivre ?! Je n'y comprends rien...

– Chérie, ne te tracasse pas : s'il veut revenir, il sait où nous trouver.

Le chien cligne des yeux, trois fois, comme pour l'approuver.

Et tandis qu'ils se remettent en marche, il reste là, seul au bord de la route, à les regarder s'éloigner sur le quai, longtemps, longtemps, jusqu'à ce qu'ils ne soient plus que deux ombres incertaines, tremblantes et comme fondues dans la lumière du soir.

Il les regarde encore, quand l'une des deux ombres se détache soudain, et lentement chancelle, avant de s'effondrer au seuil de la maison.

Aux dieux Mânes
et à la mémoire éternelle
de Blandinia Martiola,
jeune femme pleine d'innocence,
morte à l'âge de dix-huit ans,
neuf mois et cinq jours.

Pompeius Catussa,
de la cité des Séquanes,
artiste stucateur,
a élevé ce tombeau
pour son épouse incomparable,
pleine de bonté à son égard,
qui a vécu avec lui
cinq ans, six mois et dix-huit jours,
pure de toute souillure ;
il a aussi élevé ce tombeau
pour lui-même,
et il l'a consacré sous l'ascia.

Toi qui lis ces lignes,
va aux bains d'Apollon,
ce qu'avec ma femme j'ai souvent fait
et voudrais faire encore,
si seulement je pouvais.

Lyon, IIe siècle de notre ère

Amandes amères

Resserrant le col de sa pelisse, il lève les yeux vers le ciel gris ardoise, et frissonne :

– Encore de la pluie. Quel pays !

Depuis qu'il est ici, il n'a pas cessé de grelotter. Ce château de Caen est sinistre. Les murs suintent d'humidité ; l'air en est à ce point chargé que les torches grésillent sur leurs supports de fer, enveloppées de vapeur.

Il soupire, accablé. Ici, tout est poisseux, jusqu'au linge qui lui colle à la peau, rendant plus sensible encore la morsure du froid. Quel contraste avec la lumière d'Apulie, la douceur de son ciel éclatant !

Comme par provocation, la pluie fine, soudain, vire à l'averse drue.

– Quel pays ! gémit-il à nouveau, courant jusqu'aux arcades pour s'y mettre à l'abri.

Sous le porche, il secoue son manteau pour le

débarrasser des gouttelettes accrochées à la fourrure de loup, essuie contre un pilier ses bottes toutes crottées, passe machinalement la main sur son crâne aux cheveux coupés ras. Puis il s'engage d'un pas pressé dans le long couloir menant aux appartements de la duchesse.

Il a beau maudire le climat, pour rien au monde il ne voudrait être ailleurs.

Elle est assise sur un siège pliant devant la cheminée – le seul endroit de la pièce où l'on ne meure pas de froid. À ses pieds sommeille un petit chien lové sur un coussin.

– Ah, Guillaume, vous voilà !

Il s'incline. Elle sourit :

– Je suis si heureuse de vous voir ! Chaque fois, c'est comme si vous m'apportiez un peu de la terre d'Apulie.

– Je crains que ce ne soit plutôt de la boue du jardin ! répond-il, piteux, en regardant ses bottes. Pourtant, j'ai fait ce que j'ai pu pour nettoyer cela avant d'entrer.

– Oh, ce n'est rien, vous n'aurez qu'à vous essuyer sur la jonchée. Elle est ici pour ça, vous savez. Dans ce pays, nous avons l'habitude…

Et tandis qu'il frotte ses semelles sur les brassées de foin jetées à même le sol d'un air désemparé, elle éclate de rire :

– Vous souffrez du climat, on dirait. Ne vous inquiétez pas, vous allez vous y faire !

Quoique vêtue d'un simple bliaud de laine blanche à manches longues, serré à la taille par une ceinture brodée, elle ne semble pas avoir froid, alors que lui frissonne sous sa fourrure de loup.

– Venez donc vous asseoir près de moi ! Nous causerons, et puis vous me lirez quelques pages de vos *Exploits de Robert Guiscard*, dit-elle en désignant un lourd volume posé sur un lutrin. Vous en acheviez à peine la rédaction lorsque je suis partie. Trois ans plus tard, voici votre ouvrage recopié, et tout enluminé par les bénédictins de l'abbaye de Sainte-Euphémie !

– Je vous avais promis de vous le porter en personne. Vous voyez, j'ai tenu parole.

– Je n'en attendais pas moins de vous ! Évidemment, ajoute-t-elle avec malice, je connais déjà par cœur les hauts faits de mon grand-oncle… mais racontés par vous, ce n'est pas la même chose.

– Vous me flattez.

– Un peu, concède-t-elle. Mais c'est pour vous dire le plaisir que j'ai d'être avec vous.

Et moi, si vous saviez !

– Je vous préviens, Guillaume : je ne vous laisserai pas repartir avant que vous ne m'ayez lu votre histoire en entier !

– Je ferai comme vous voulez, dit-il en souriant, tout en songeant, un pincement au cœur, qu'ils viennent d'achever la lecture du livre IV.

Encore un, et tout sera terminé. Il aurait dû en

écrire davantage ; mais, d'un autre côté, cela aurait retardé le moment de la revoir.

Ils restent un moment sans rien dire, elle regardant les flammes, un vague sourire aux lèvres, et lui la contemplant. Elle n'a pas changé en trois ans : aussi fraîche, aussi gaie que lorsqu'elle vivait autrefois à la cour de son père. Belle comme une fleur solaire qui, transplantée dans une terre hostile, n'aurait rien perdu de son éclat. C'est un soulagement. Mais ça ne le console pas de la savoir aussi mal mariée.

Robert de Normandie, son époux, est un rapace, un teigneux, un jaloux, plus soucieux de disputer à ses cadets le trône d'Angleterre que d'administrer son duché. Avec ça, ripailleur, inconstant, colérique et prodigue, toujours à court d'argent. Mauvais homme, mauvais mari, et mauvais politique !
S'il était beau, seulement, mais là encore... Le visage, passe – quoiqu'il ne soit plus très jeune –, mais l'allure ! On dirait un petit taureau toujours furieux, si râblé qu'il s'est vu affublé du sobriquet de *Courteheuse* – *Courte-botte*, on trouve plus élogieux !

Assis près de Sibylle, Guillaume tend ses chausses crottées vers les flammes pour se réchauffer les pieds tout en ruminant son mépris. La duchesse, soudain rêveuse, semble goûter le silence. Et Guillaume se prend à penser aux événements qui l'ont conduite ici, si loin de lui, si loin de l'Apulie – le destin joue parfois de sales tours.

Où serait-elle aujourd'hui si les infidèles n'avaient pas un jour décidé de fermer aux pèlerins l'accès au tombeau du Christ ?

Où serait-elle si Courteheuse ne s'était pas mis en tête de partir en croisade ?

Où serait-elle s'il n'avait pas choisi, à son retour, de s'inviter à la cour de Roger Borsa, duc normand d'Apulie, de Calabre et de Sicile ?

Robert a débarqué à Tarente un beau jour avec son armée poussiéreuse, le visage buriné et l'écu tailladé, tout auréolé de la gloire nouvellement acquise en Terre sainte.

On racontait que, juste après la prise d'Antioche, il avait tué en combat singulier le chef sarrasin Kerbogha, atabeg de Mossoul – exploit faramineux et proprement épique dont existaient déjà pas moins de six versions. Dans l'une d'elles, Robert fendait en deux, d'un seul coup d'épée, Kerbogha en même temps que son cheval ! Cela semble incroyable, mais c'est ainsi : le destin a de ces mystérieuses alchimies qui peuvent transformer un combat en légende, un brutal en héros.

Courteheuse et ses hommes ont été accueillis à bras ouverts : en digne fils du grand Robert

Guiscard, Roger Borsa n'aimait rien tant que les récits guerriers, surtout lorsque les guerres sont celles d'un Normand. Il a convié son cousin à venir saluer le héros. Voilà comment Godefroi, comte de Conversano, s'est retrouvé à la cour de Tarente avec toute sa suite. Et avec sa fille.

Robert est immédiatement tombé amoureux – comment ne pas tomber amoureux d'elle ? Il n'a pas attendu pour demander sa main. Le comte la lui a volontiers accordée – on ne refuse rien au duc de Normandie, surtout s'il revient de libérer le Saint-Sépulcre.

Les noces ont été célébrées à Tarente, fin mai. Trois jours plus tard, le duc embarquait pour rentrer au pays. À dix-sept ans, Sibylle quittait, sans doute pour toujours, l'Apulie où elle avait grandi.

Guillaume sent sa gorge se serrer. Il n'est qu'un clerc gratteur de parchemin, un satellite obscur gravitant autour d'un grand seigneur. Entre elle et lui, la distance est immense. Pas un instant il ne s'est imaginé qu'il pourrait… Pas un instant, bien sûr. L'idée même lui paraît sacrilège.

Mais au moins il aurait aimé qu'on la donne à un homme digne d'elle. Un homme qui n'aurait pas vécu à l'autre bout du monde, sur une terre de pluie, de grisaille et de boue.

La savoir mariée à un homme digne d'elle, ça

l'aurait consolé. Et aussi, pouvoir imaginer du soleil autour d'elle.

Qu'a-t-elle au lieu de ça ? Un soudard imbécile qui, à peine rentré chez lui, a employé la dot de sa femme à régler ses dettes – dix mille marcs d'argent empruntés à son frère pour financer l'expédition en Terre sainte. Le bruit court qu'en échange de ce prêt, il avait engagé son duché. *Son coup de foudre en Calabre est arrivé à point*, pense Guillaume avec amertume.

Cette affaire réglée, il l'a laissée, enceinte, pour aller faire la guerre à son frère Henri – toujours cette lubie de s'octroyer le trône d'Angleterre ! C'est là qu'il s'est entiché de la femme du comte de Buckingham, cette vipère d'Agnès de Ribemont avec qui il s'affiche sans la moindre vergogne.

Lorsque Buckingham est mort l'an dernier, certains ont prétendu que sa femme n'y était pas pour rien. Nul doute, en tout cas, qu'elle a vite fait son deuil : sitôt son mari inhumé au prieuré de Longueville, elle est venue s'installer à la cour de Normandie, où elle mène grand train, profitant à outrance des largesses du duc. C'est un écœurement.

– Qu'avez-vous, Guillaume ? Vous ne dites plus rien.

– Je… je pensais à ces amandiers d'Apulie que vous avez emportés, quand vous êtes partie, ment-il pour se tirer d'affaire.

– Ah, oui, les amandiers… Je n'ai pas réussi à les acclimater. Je m'en doutais, remarquez, mais enfin, il fallait essayer.

Elle soupire :

– Moi qui suis si gourmande, me voilà obligée de faire venir mes pâtes d'amande de très loin !

– Vous avez la caisse que je vous ai apportée…

– … en plein Carême, Guillaume, je m'en voudrais d'y toucher ! Mais, ajoute-t-elle en baissant la voix, comptez sur moi pour me rattraper après Pâques !

Elle rit d'un rire presque enfantin, exactement semblable à celui d'autrefois.

– Ah, Guillaume, comme le temps passe ! Je me revois encore à dix ans, quand je volais dans les cuisines des pains aux olives et des gâteaux au miel pour aller les manger dans la bibliothèque en vous regardant travailler. Quel âge aviez-vous donc ?

– Quinze ans. Je venais d'entrer au service de votre père.

– Je devais vous paraître insupportable, à toujours vous déranger pendant que vous étiez à vos copies. Sans compter les miettes que je semais derrière moi !

– Vous ne m'avez jamais dérangé.

Elle sourit, et se tait un moment, comme si elle était triste – pourtant, elle ne l'est pas –, puis reprend :

– J'aimais vous regarder travailler, voir comment vous formiez les lettres – vous avez toujours eu une si belle écriture. Je me souviens, j'essayais tout le temps de vous distraire, mais pas moyen...

– Vous y êtes bien parvenue, quelquefois, rappelez-vous.

– Si peu, Guillaume, si peu. Vous étiez trop sérieux !

– C'est ainsi que doit être un secrétaire, murmure-t-il en baissant les yeux.

– Bien sûr... Enfin, vous avez tout de même pris le temps de me faire découvrir les grands auteurs. Virgile, Ovide, Sénèque, je les ai tous emportés avec moi, et je m'en félicite. Ici, il n'y a pas de livres. Robert ne les aime pas ; il les trouve trop chers.

Elle dit cela d'un ton étrange, entre mépris et regret. Est-ce cela, aussi, que lui inspire son mari ?

– Mais je manque à tous mes devoirs : vous êtes frigorifié, et je ne vous ai rien fait servir ! Qu'on apporte du vin chaud, ordonne-t-elle aussitôt, et ces biscuits de Carême que m'a offerts ce matin Madame de Ribemont.

– Agnès de Ribemont est venue ici ! Vous... vous la recevez ?!

– Qu'y a-t-il là de si surprenant ? répond-elle avec calme.

– C'est que...

Il s'interrompt – que peut-il ajouter ?

Sibylle fronce les sourcils :

– Ne me dites pas que vous prêtez l'oreille à ces racontars, Guillaume !

Son regard clair est lourd de reproches. Il trouve tout de même la force de lui dire :

– Vous êtes si bonne que vous ne voyez pas le mal.

– Oh, je ne suis pas naïve à ce point ! Croyez-moi, je sais bien reconnaître le mal quand je l'ai sous les yeux. Seulement, il me semble qu'il y a mieux à faire que s'y intéresser.

Elle prononce cela d'une traite, avec cet air buté qu'elle prenait déjà, petite fille, lorsqu'elle avait une idée à défendre.

– Je ne suis qu'une femme, Guillaume, mais puissante par ma naissance et par mon mariage. Et riche. Tant que je vivrai, je compte employer mon temps à bien élever mon fils, bien aimer mes amis – vous en êtes, vous le savez – et soulager autant que je le peux la misère des Normands, si durement éprouvés par les conflits qui ont opposé Robert à ses frères ou à ses vassaux.

Je ne veux pas m'encombrer des vilenies qu'on prête à mon mari, et je n'entends pas en faire plus de cas que de vulgaires ragots ! La comtesse de Ribemont demande à être reçue ? Je la reçois comme il se doit, aimablement ; j'accepte ses hommages et ses petits gâteaux. Et l'heure d'après, je la laisse repartir. Que devrais-je faire d'autre ?

Guillaume se retient de répondre : *Lui arracher les yeux qu'elle a très beaux, mais moins beaux que les vôtres ; lui enfoncer une lame dans le cœur.* Il s'abstient, cependant ; il a compris ce que veut dire Sibylle : pour faire face à l'adversité, elle a choisi de s'armer de sagesse, de calme, d'élégance, et aussi de sa beauté. Tout cela ne doit pas s'émousser dans la haine et le ressentiment. C'est noble, courageux, et bien digne de la petite-nièce de Robert de Hauteville, dit *Guiscard* – Robert l'Avisé.

On leur sert du vin chaud dans des gobelets d'argent et, sur un plat d'étain, les biscuits offerts par la comtesse Agnès.

– Ils sont sans œufs ni farine, comme il se doit en période de Carême, lui précise Sibylle. Voulez-vous en prendre un ?

Plutôt mourir.

– Non, je n'ai pas très faim.

Elle sourit finement – elle n'est pas dupe –, se saisit d'un gâteau, le croque, puis s'exclame :

– Vous devriez goûter. Ils sont délicieux ! Avec un peu de miel, de noisette et…

Les yeux clos, elle hume le gâteau :

– … un léger parfum d'amande. La comtesse, on dirait, connaît bien mes faiblesses !

Le premier biscuit englouti, elle en attrape un autre qu'elle dévore aussitôt.

Est-elle aussi gourmande qu'elle l'était enfant, ou bien tient-elle à faire bonne figure en lui prouvant combien Agnès de Ribemont la laisse indifférente ?

– Dites-moi, Guillaume, demande-t-elle en

chassant une miette tombée sur son bliaud, êtes-vous toujours aussi féru d'astronomie ?

– Toujours ! Où que j'aille, j'emporte avec moi la précieuse lunette que votre père avait fait venir de Cordoue… Mais voilà près d'un mois que je n'ai pu effectuer la moindre observation : dans ce pays de Normandie, le ciel est si couvert que la nuit on ne peut rien y voir : pas une planète, pas une étoile, pas même le commencement d'une queue de comète !

– Si vous restez jusqu'en été, vous constaterez qu'ici aussi, nous avons de belles nuits toutes remplies d'étoiles, comme vous les aimez. Les mêmes qu'en Apulie, je vous assure !

– Je vous crois. Mais, comme vous savez, je vais devoir m'en aller bien avant le retour de l'été…

Elle soupire, et reprend un biscuit :

– Au moins, promettez-moi de faire mon horoscope avant votre départ. Je veux savoir ce que disent les astres.

– Ils disent : *Tant que durera sa vie, la duchesse Sibylle jouira de tous les dons : la noblesse, la beauté, la renommée, la gloire.* Et ils disent également : *Sa générosité, son intelligence, sa vertu feront le bonheur de son peuple.*

– Vos astres m'ont tout l'air de vils flatteurs !

– Ils ne font que répéter ce qui se dit partout, répond-il gravement.

Dehors, la pluie s'est arrêtée, et le soleil tente

une timide percée. Guillaume n'a plus froid. C'est peut-être le vin, ou le feu qui crépite dans l'immense cheminée. Ou bien, c'est elle.

Quelque part, une cloche sonne – l'angélus, déjà. Il ne serait pas décent de rester plus longtemps.

– Je vais devoir vous quitter.

– Nous avons tant parlé que nous n'avons pas pris le temps de lire votre histoire, lui fait-elle remarquer.

À ce moment précis, le chien endormi à ses pieds lève le museau, et bondit sur ses pattes. Puis, après s'être ébroué en bâillant, il se met à tourner autour d'elle en poussant de petits jappements.

– Mais… mais que lui arrive-t-il ? Il est si calme, d'habitude… Oh, cette bête me donne le vertige ! Tiens, dit-elle, en lui tendant le dernier gâteau, dans l'espoir de lui faire cesser son manège.

Peine perdue : le chien glapit de plus belle, et se lance aussitôt dans une cavalcade désordonnée à travers la pièce.

– On dirait que quelque chose l'effraie, fait remarquer Guillaume, saisi d'une appréhension.

Sibylle hausse les épaules :

– Il fait le fou, voilà tout !

et croque dans le gâteau.

Soudain, il la voit s'affaisser :

– Madame, qu'avez-vous ?

– Je ne me sens pas bien, tout à coup… Pas bien du tout.

– Madame ! Madame !

Les servantes accourent.

– Allez chercher quelqu'un ! leur crie-t-il. Un médecin ! Un médecin pour la duchesse !

Elles s'affolent, piaillent et s'ébrouent comme des oiseaux. Le chien pousse un long hurlement.

Guillaume ne fait pas attention, trop occupé à retenir Sibylle qui glisse de son siège.

Doucement, il l'allonge, livide, sur la jonchée. Sa tête roule contre sa main, et ses longs cheveux bruns se répandent sous ses doigts. C'est la première fois qu'il la touche, qu'il la touche comme ça.

– Guillaume !

– Je suis là.

– J'ai froid.

Il enlève sa pelisse, l'en entoure.

– Serrez-moi.

Il la serre contre lui, comme elle le demande. Elle lui dit merci d'une voix blanche. Ses lèvres sont toutes bleues, et ses paupières aussi.

– Madame ! Parlez-moi.

Déjà, ses yeux se voilent.

– Sibylle !

Il voit remuer ses lèvres, mais aucun son n'en vient. Elle parle, pourtant, lui fait signe qu'elle veut dire quelque chose. Il approche l'oreille de sa bouche :

– Guillaume…

Il approche plus près encore, tente de recueillir ses paroles confuses, presque inaudibles, ce murmure infime qui s'échappe comme un soupir.

Plus près encore, il sent ses lèvres, tout contre son oreille, son haleine au léger parfum d'amande amère.

* * *

Assis sur un haut siège de châtaignier sculpté, Robert Courteheuse fait une mine affreuse – visage lugubre et front barré de rides soucieuses. Cet air sombre doit cependant bien peu à la mort de sa femme. C'est triste, évidemment, et contrariant, mais Robert a bien d'autres soucis en tête, avec tous les tracas que lui fait son frère, le roi d'Angleterre. Cet Henri de malheur l'oblige à renoncer aux trois mille livres de rente qu'il lui avait accordées ! Trois mille livres, le coup est rude, et Robert devine que son frère, enhardi, ne s'arrêtera pas là : Henri convoite le duché de Normandie, cela semble évident. D'ici à ce qu'il tente une invasion…

Robert s'agite sur son siège dont l'inconfort l'irrite, ruminant des pensées bien noires, et des envies de meurtre qu'il ne peut assouvir.

Agnès de Ribemont n'a pas ce genre de problème. Debout derrière le duc, yeux baissés et visage encadré d'un voile sombre – toute la cour est en deuil –, elle fait ce qu'elle peut pour paraître modeste, mais le sourire qu'esquissent ses lèvres pâles dit assez clairement qu'elle se voit déjà duchesse.

Le chambellan de Tancarville avance à pas prudents vers le duc sinistre, flanqué de sa triomphante maîtresse. Il devine qu'il dérange et n'en mène pas large, bouche sèche et mains moites. Mais enfin, cela fait maintenant deux jours que la duchesse est morte ; on ne peut plus attendre pour régler le détail de ses funérailles.

Tancarville s'incline profondément et, après toutes les circonlocutions, politesses et condoléances d'usage, trouve la force de demander quelles dispositions prévoit Monsieur le duc pour l'enterrement de la bien-aimée duchesse.

– Ma défunte épouse sera enterrée dans la cathédrale de Rouen. Dans la nef, comme il se doit.

Tancarville hoche la tête avec componction :

– Et pour le monument ?

– Le monument ? répète Robert en écho, sans paraître comprendre.

– J'avais pensé, peut-être, suggère le chambellan, rassemblant sa salive avec son courage, à un gisant… un gisant avec un mausolée de marbre dans le goût de celui de votre père le Conquérant. Mais au lieu d'un lion, on pourrait représenter, couché aux pieds de la duchesse, le petit chien que vous lui aviez offert en cadeau de mariage.

Le chien est, comme vous le savez, symbole de fidélité...

Robert reste impassible. Tancarville se racle la gorge, et reprend aussitôt :

– La duchesse pourrait ainsi rester présente aux yeux du peuple qui l'a tant aimée, pour toujours figée dans sa jeunesse et sa grande beauté.

Les lèvres d'Agnès de Ribemont se plissent d'un rictus fort disgracieux qu'elle réprime aussitôt, et Robert s'exclame :

– Un mausolée de marbre ? Un gisant ? Savez-vous bien ce que cela coûterait ?

Pris au dépourvu, Tancarville écarquille des yeux effarés.

– Un gisant ! répète Robert, scandalisé. Avec des caisses presque vides, et mon démon de frère qui m'a dépouillé de cette rente qu'il me doit ! Un gisant !

Il secoue la tête comme s'il s'agissait de la pire ânerie qu'il ait jamais entendue. Un gisant, ce n'est pas dans ses moyens ! D'autant que, récemment, il a offert à Agnès un gros saphir monté sur une chaîne en or si lourde qu'elle lui meurtrit les épaules.

Tancarville se recroqueville, fataliste – au moins, il aura essayé. Robert assène d'un air définitif :

– Une plaque de marbre, avec une épitaphe en quelques lignes, cela devrait faire l'affaire, il me semble. Elle n'a pas vécu si longtemps...

81

Hélas, pense Tancarville, accablé. Puis il hoche la tête. Il prend acte, ne pouvant rien faire d'autre.

– Il reste la question du texte, ajoute-t-il dans un filet de voix.

– Quoi, le texte ? fait le duc, excédé.

– Que… que souhaitez-vous que l'on inscrive sur la plaque ?

– Il n'y aura qu'à mettre la formule habituelle : *Ici repose, etc.*

– C'est que, tout de même, il y a des variantes. Et comme la duchesse était très aimée, on pourrait peut-être…

– Ah, tonne Robert, comme si j'avais du temps à consacrer à une pareille affaire ! J'ai déjà un duché à gouverner, voyez-vous…

Le chambellan retient son souffle, l'air piteux, les mains jointes, comme pour implorer grâce.

– N'y a-t-il pas ici un homme dont c'est le métier ? Un homme de lettres, ou n'importe qui d'autre, qui saurait arranger les mots comme il faut ?

Le chambellan frémit, comme éclairé d'une lumière soudaine :

– Si… si, nous avons justement le secrétaire du comte de Conversano, arrivé tout droit d'Apulie, le mois dernier. Sans doute pourrait-il…

– Eh bien, voilà qui est réglé ! fait Robert. Qu'il compose donc pour la duchesse une épitaphe digne d'elle. Il est de son pays. Je lui fais toute confiance. Maintenant, qu'on me laisse : les affaires m'appellent.

Tancarville s'incline, se retire le cœur lourd, mais au fond soulagé. Une main appuyée sur le dossier du siège, Agnès ferme les yeux : *Enfin seuls !* se dit-elle en serrant dans son poing le saphir sur sa poitrine. Robert ne bouge pas et reste silencieux, soudain perdu dans une méditation tourmentée.

– J'ai peut-être eu tort de lui refuser un gisant, lâche-t-il avec mélancolie, au bout de quelques instants. Dans sa voix tremble comme un remords, peut-être même un chagrin.

– Robert ! s'écrie Agnès en contournant vivement le siège pour se placer face à lui.

Il lève vers elle un regard malheureux :

– Un gisant aurait mieux convenu... Qu'en pensez-vous ?

– Robert, reprenez-vous ! dit-elle en posant sur sa joue une main glacée.

Mais lui se recroqueville, l'air épuisé, et laisse échapper un soupir qui ressemble à un sanglot. Elle l'attire contre elle :

– Allons, cessez de vous tourmenter.

Puis, refermant sur lui l'étreinte de ses bras, d'une voix douce, merveilleusement apaisante, elle ajoute :

– Une plaque de marbre, avec une épitaphe composée par cet homme envoyé d'Apulie, ce sera un bel hommage.

Il hoche la tête :

– Si vous pensez...

Sentant qu'il cède et s'abandonne, elle le serre plus fort, et sourit en murmurant :

– Je suis sûre que la duchesse n'aurait rien voulu d'autre.

***

Guillaume a fait ce qu'on lui demandait : il a composé l'épitaphe, les derniers mots qu'il pouvait lui adresser.

Il n'a pas voulu y faire figurer le nom de son époux, comme c'est pourtant l'usage. Certains ne manqueront pas d'y voir une marque de défiance envers le duc ; il le sait, mais vraiment, il ne pouvait s'y résoudre.

Tout de même, il n'en menait pas large lorsqu'il a soumis le texte au chambellan de Tancarville. Ce dernier l'a lu une fois, deux fois, puis il a déclaré sans ciller : *C'est un bel hommage, Monsieur, exactement celui que méritait la duchesse. Je vous en remercie.*

On en est resté là.

Il est reparti le lendemain des funérailles avec, dans ses bagages, sa belle lunette astronomique, *Les Exploits de Robert Guiscard* dont jamais ils n'achèveront la lecture, et dans son cœur, un secret dont il ne sait pas encore s'il allégera son chagrin ou bien le doublera d'un lancinant regret : juste avant de mourir, elle a trouvé la force de parler.

Tandis qu'il collait son oreille à sa bouche, elle lui a dit les mots que jamais il n'aurait osé espérer. Des mots que, pourtant, il aurait préféré ne jamais entendre.

Car Sibylle de Conversano, duchesse de Normandie, ne pouvait les lui dire, ces mots, que dans un dernier souffle.

La noblesse, la beauté, la renommée,
la gloire, le pouvoir, si grand soit-il,
ne rendent pas l'homme éternel.

Pour preuve, la duchesse Sibylle :
elle était noble, puissante et riche,
et pourtant, la voici couchée
dans ce tombeau, réduite en cendres.
Sa générosité, son intelligence, sa vertu
auraient fait le bonheur de son peuple,
si seulement elle avait vécu plus longtemps.
Les Normands pleurent leur dame,
l'Apulie son enfant.

Avec elle disparaît une gloire éclatante.
La mort l'a terrassée alors que le Soleil
entrait dans la constellation
du bélier à toison d'or.
Puisse-t-elle vivre en Dieu.

Cathédrale de Rouen, 1103

Place de Grève

Je te regarde. Tu es pâle et tu trembles un peu
– de froid plus que de peur. L'air est glacé, mais
dans tes yeux, c'est toujours le même feu.

Tu me souris, indifférente à ce qui nous entoure.
Tu as raison : ces instants sont précieux ; gardons-
les pour nous seuls.

On nous a ordonné de rester silencieux. Ce
n'est pas grave. Nous savons nous parler avec les
yeux.

Tu sembles soulagée, heureuse presque. Il fait
beau. Pour nous, le ciel s'est mis en fête. Un
rayon de soleil passe sur ton front, accroche à
tes cheveux des reflets fauves et miel. J'aimerais
y enfouir mon visage, éprouver leur douceur, les
respirer, comme autrefois ; mais bien sûr, c'est

impossible. Peu importe. Te contempler suffit à me combler.

Tu n'as pas changé en trois mois, comme si rien, ni l'angoisse, ni les veilles, ni la maternité, ne pouvait altérer ta beauté. Ta jeunesse rayonne au soleil de décembre. Dix-sept ans d'une grâce sans pareille.

Tes lèvres remuent en silence, elles me disent *je t'aime*. Moi aussi, ma chérie, je t'aime. Aussi loin que je me souvienne, je t'ai toujours aimée.

Quand nous étions enfants, déjà, je ne pensais qu'à toi. Tu étais vive, espiègle, ombrageuse parfois, mais si belle que personne ne parvenait jamais à te gronder.

Ensemble, nous avons appris à danser le passe-pied, le branle gai, la pavane. Nous aimions ces figures imposées qui nous unissaient dans une harmonie quasi miraculeuse. Nous aimions sentir nos corps bouger à l'unisson, s'incliner, se plier, se frôler. Nous ne savions pas encore ce qu'était l'amour, mais déjà la danse, avec ses troubles et ses ravissements, nous en offrait la préfiguration.

Parfois, oubliant la leçon, nous nous mettions à tourner sur nous-mêmes en riant, jusqu'à ce que le vertige nous jette sur les dalles. Quand j'y pense, je me dis que nous cherchions déjà ce sentiment d'ivresse et de perte de soi que nous avons su trouver ensemble, plus tard, dans d'autres jeux.

Certaines nuits, tu te blottissais contre moi dans le lit en soufflant : *Réchauffe-moi !* Je prenais dans mes mains tes pieds minuscules et glacés. Je les frottais avec vigueur en frémissant, ému, et tu protestais en gloussant quand, pour rire, je te caressais les mollets : *Julien, tu me chatouilles !*

On a essayé de nous séparer. Je sais que tu as souffert, plus que moi à l'époque. Pardonne-moi de t'avoir laissé croire que je t'avais oubliée.

Lorsque je t'ai revue – comme tu avais grandi ! – plus belle encore, je n'en revenais pas. C'est là que j'ai compris ; il y a des évidences comme des coups de tonnerre : je t'aimais, je t'avais toujours aimée, et je t'aimerais toujours.

J'avais seize ans, toi douze. Nous étions homme et femme. Ce qui devait arriver est arrivé. Nous n'avons pas cherché à résister, à quoi bon. Nous le savons l'un comme l'autre, rien ne pouvait l'empêcher.

Dès la première fois, nous avons su les gestes, comme s'ils étaient inscrits dans notre chair. Nous nous sommes aimés sans peur ni maladresse. Tu n'as même pas eu mal. À la fin, nous nous sommes dit merci en nous dévorant de baisers.

Nous venions d'ouvrir une brèche dans une muraille paraît-il inviolable. Nous savions ce que cela impliquait, mais nous étions d'accord : nous avons regardé la brèche s'élargir sans remords ; nous nous sommes laissés emporter par le torrent.

Les mois qui ont suivi, chaque jour, nous avons fait l'amour, comme si nous soupçonnions que le temps était compté. Une force impérieuse nous jetait l'un vers l'autre, corps à corps, âmes sœurs. Dès que nous le pouvions, nous nous prenions avec frénésie. C'était facile, souviens-toi, le château est si grand, et nous en connaissions si bien chaque recoin secret. Parfois, nous nous contentions de gravir l'escalier de la tour sud-ouest, jusqu'à ma chambre où le soleil entrait à flots. Tout là-haut, nous étions heureux, insouciants comme Adam et Ève avant leur chute, deux innocents au Paradis terrestre.

Un après-midi, nous avons gravé sur une vitre avec le diamant que tu portais à l'index nos initiales entourées d'un grand cœur. Elles doivent y être encore – il n'y a pas de raison –, et j'espère qu'elles demeureront toujours, en souvenir de nous.

Je n'aurais jamais dû consentir à ce qu'on nous sépare à nouveau, mais comment faire ? Résister, c'était prendre le risque d'attirer les soupçons, nous trahir, peut-être. On ne pouvait se le permettre. J'ai cédé : je suis parti étudier à Paris, dans ce collège de Navarre dont je n'avais que faire. D'ailleurs, je n'ai rien fait. J'ai préféré gaspiller mon argent dans les fêtes, les dîners, tout ce qu'on imagine à cet âge pour s'étourdir.

Il y a eu des femmes aussi, beaucoup – pardonne-moi, Marguerite : c'était pour t'oublier, mais bien sûr je n'ai pas réussi. Entre leurs cuisses, entre leurs seins offerts, je ne pouvais goûter qu'une jouissance amère. Leur chair était triste comme si elle était morte. Alors, j'ai compris ce que je soupçonnais déjà : aucune autre jamais ne saurait m'émouvoir ; j'aurais beau tout tenter, je serais toujours forcé de revenir vers toi.

M'éloigner ne suffisait pas. Pour mieux nous séparer, on a décidé de te marier à ce Jean Lefebvre, seigneur de Hautpitois. Quel mari on t'a trouvé, ma belle – bouffi, perclus de goutte, des chicots plein la bouche ! Et avec ça – ce que personne alors n'aurait pu soupçonner –, vicieux comme pas deux.

Comment supporter cela, Marguerite, ton beau corps de treize ans livré à ce vieillard de quarante-cinq ? Sa bouche pourrie contre tes lèvres fraîches, sa langue entre tes dents parfaites, et tout le reste... rien qu'à l'imaginer, j'en ai des haut-le-cœur.

Tu pleurais tant, ma belle, quand je t'ai retrouvée dans ta chambre, la veille de ton mariage. Tu m'as fait promettre de ne pas t'abandonner, et j'ai juré, comme un imbécile, j'ai juré, mais je n'ai pas bougé. Pardonne-moi, ma chérie, de les avoir laissés te livrer à ce porc.

Le lendemain, tu as failli défaillir, en entrant dans l'église. On a dit que c'était à cause du poids de ta robe de mariée que surchargeaient les perles et les fils d'argent. Je sais, moi, que la robe n'était pas en cause. Je sais qu'à cet instant tu ne pensais qu'à mourir.

Je te revois debout dans la lumière du chœur, livide à côté de ce vieux qui te mangeait déjà avec ses yeux de loup, son sourire repu – une épouse jeune et belle, deux mille livres de dot : il avait là de quoi combler toutes ses convoitises !
Tu regardais devant toi pour surtout éviter de croiser son regard. Ta main se portait sans cesse à la croix en diamants qui pendait à ton cou, comme si tu voulais t'assurer sa protection. Mais il faut plus qu'un brillant crucifix pour empêcher l'agnelle de se faire dévorer.

Tu es partie vivre à Valognes, dans la demeure cossue de ton vieillard d'époux. J'ai dû attendre Noël pour t'y rejoindre. Oh, ma chérie, comme j'aurais voulu pouvoir le faire plus tôt! Et pourtant, quand j'y pense, c'était de la folie, ces retrouvailles; mais nous étions si jeunes, si amoureux, et si désespérés.

Nous aurions pris la précaution de nous cacher un peu, un peu seulement, cela aurait suffi, peut-être. Mais dans cette maison pleine de domestiques à la solde du maître, dans ce logis austère d'où toute joie semblait bannie, notre amour ne pouvait passer inaperçu.

Ton lugubre mari n'a rien dit – le serpent, il attendait son heure! Quand je suis parti, il s'est contenté de faire savoir que je n'étais plus le bienvenu chez lui.

Est-ce à ce moment-là que les choses ont commencé? Est-ce à cause de moi? Je n'ai jamais osé te poser la question. Quand bien même je te l'aurais demandé, je te connais, Marguerite: tu ne m'aurais rien dit, pour m'épargner. Jamais tu n'avoueras qu'il s'en est pris à toi pour se venger de moi.

Ce qu'il t'a fait subir n'est pas imaginable. Chaque fois que je m'y essaie, mon esprit se révolte. Les gifles et les crachats, les coups de pied, de poing, les journées enfermée dans un réduit crasseux sans lumière et sans eau. Les nuits où il venait te réveiller en sursaut pour t'insulter. Et le poignard qu'un jour il t'a mis sous la gorge. Et les viols sans nombre.

Il y en aura toujours pour dire qu'étant ton époux, il était légitime à te forcer. C'est ta faute, diront-ils, tu n'avais pas à te montrer rétive. S'il a dû t'attacher, te battre, t'assommer pour pouvoir jouir de toi, c'est ta faute. Il ne fallait pas le mettre hors de lui en te dérobant au devoir conjugal. Il y en aura toujours pour dire cela, Marguerite, que c'est ta faute, et qu'il avait le droit. On ne peut rien y faire.

L'ordure, il te battait tellement qu'une fois il t'a cassé deux côtes. Les voisins se plaignaient de tes cris.

En août, il t'a jetée dans l'escalier, enceinte de huit mois. Il espérait sans doute que tu meures de ta chute. N'ayant pu te tuer, il t'a laissée te tordre des heures durant dans ta robe trempée de sang, avant de se décider à appeler la sage-femme.

L'enfant a survécu, une petite Louise, qu'il t'a enlevée aussitôt pour la placer en nourrice à Coutances – plus de dix lieues entre ta fille et toi, pour être bien certain que tu ne pourrais la voir. Il prétend qu'elle n'est pas de lui. J'aimerais que ce soit vrai.

J'aurais dû le tuer dès que j'ai su, mais quand je l'ai appris, tu t'étais déjà enfuie de chez lui pour revenir au château. Je n'ai pas pensé à la vengeance, seulement à te retrouver. Ni toi ni moi ne sommes faits pour la noirceur.

Entourée de tes proches et protégée de lui, tu t'es remise peu à peu, et bientôt tu as refleuri dans tout l'éclat de tes quinze ans.

Tout a recommencé comme autrefois. Durant plusieurs mois, nous sommes parvenus à nous donner l'illusion que ton mariage n'avait jamais eu lieu : je venais chaque nuit dans ta belle chambre bleue tout ornée de faïence de Delft, avec des paysages en médaillons et des anges soutenant le blason des Ravalet : d'azur à la fasce d'argent, chargée de trois croix de gueules, et accompagnée en chef de deux croissants d'argent et en point d'une rose de même. Comme nous baisions, Marguerite, si avides l'un de l'autre, comme nous jouissions !

Un cahot de la route fait tanguer la charrette. Tu vacilles contre moi et, te redressant, tu approches le pied du mien, imperceptiblement. Je vois dépasser de ta robe ton soulier de cuir jaune, comme une tache de soleil. Ça y est, nos pieds se touchent, cachés par tes jupons. Je sens tes orteils qui me pressent à travers le cuir souple. C'est si bon Marguerite, et si déchirant, cette caresse, dernier plaisir volé à la face du monde.

Où en serions-nous aujourd'hui si mon valet ne nous avait pas surpris ? Nous vivrions ensemble sur ma terre d'Arreville – j'aurais su trouver un prétexte pour qu'on te laisse m'y rejoindre –, et, sans rien demander à personne, nous serions heureux. Mais il a fallu que le mauvais sort s'en mêle – il se mêle de tout.

Ce traître de valet a couru à Valognes prévenir ton mari qui a crié au scandale, trop content de pouvoir enfin se donner le beau rôle. Il a joué l'homme éploré, meurtri d'avoir été trompé, abandonné. Oubliée la brute, le tortionnaire ; maintenant, c'était lui la victime, l'époux trahi par une dépravée.

L'ordure, il se moquait bien que tu l'aies quitté, en vérité – d'ailleurs, jamais avant cela il n'avait cherché à te faire revenir. Pour ses turpitudes, il avait deux salopes installées à demeure bien avant ton départ, de sacrées putains qui couchaient avec lui dans les draps brodés de ton trousseau.

Tant qu'il t'imaginait recluse à Tourlaville, solitaire et meurtrie, il était satisfait, d'autant qu'il conservait ta dot. Mais lorsqu'il a appris que je t'avais rejointe, il n'a pas supporté. Il était hors de lui de te savoir heureuse. Voilà pourquoi il nous a dénoncés.

Nous avons nié, bien sûr – comment faire autrement ? Tu as juré tes grands dieux qu'il ne s'était rien passé. Comme tu mentais bien, Marguerite, et avec quel aplomb ! Ton mari était un monstre, disais-tu : non content de s'attaquer à ton corps, il voulait à présent te souiller l'âme avec des calomnies. Tu l'as dit sans ciller, et si ta voix tremblait, c'était d'indignation. Pour nous sauver, tu étais prête à tout. Tu as prétendu que tu voulais demander l'annulation de ton mariage afin de pouvoir entrer en religion. Tu voulais, disais-tu, te retirer du monde, car le monde est bien sale et bien méchant. Tu as pleuré toutes les larmes de ton corps si beau, en répétant sans cesse que nous n'avions rien fait qu'on puisse nous reprocher, rien qui soit contraire à l'honneur, rien de rien, plutôt mourir.

Puisque tu l'assurais, on a bien voulu te croire – au fond, on ne demandait que ça, te croire : si ces accusations avaient été fondées, quelle honte, quelle horreur !

Nous ne pouvions plus nous voir, encore moins nous parler – on nous surveillait étroitement. Nous savions toi et moi qu'on ne pourrait supporter cette vie bien longtemps. Il fallait en finir, partir – quelle autre issue ?

Comme souvent, tu as pris les devants : deux jours après Noël, tu t'es enfuie en plein milieu de la nuit. Quel émoi au château, et quel désarroi, lorsqu'on s'est rendu compte le lendemain matin que tu avais disparu ! Moi, je n'étais pas inquiet. Je me doutais que tu avais soigneusement préparé ton départ : tu avais emporté des vêtements, des bijoux, de l'or – de quoi tenir longtemps. Du reste, tu n'étais pas seule : ton laquais t'avait accompagnée dans ta fuite ; je savais qu'au besoin il te protégerait.

J'ai mis de l'ordre dans mes affaires, rassemblé

mon argent, préparé une bourse avec quelques diamants. Puis j'ai attendu tranquillement que tu me fasses signe.

Ton départ avait tant bouleversé la maison que l'on ne se souciait plus guère de me surveiller. Ton laquais n'a eu aucun mal à me faire passer la lettre dans laquelle tu avais glissé une mèche de tes cheveux. Tu étais à Fougères, écrivais-tu, bien installée à plus de soixante lieues – le bout du monde ! Tu avais loué tout le premier étage d'une petite maison, et engagé des domestiques. Tu n'attendais plus que moi.

Je suis parti la nuit suivante. Quatre jours plus tard, nous étions réunis.

Je te vois sourire, tandis que le vent soulève ton col de dentelle, le rabat sur ta joue. À quoi penses-tu, Marguerite ? À ces jours de bonheur où nous avons vécu comme mari et femme dans cette ville où personne ne pouvait nous reconnaître ? Nous nous promenions dans les rues au grand jour – c'était si nouveau, si grisant. Hormis les dix-huit mois que tu avais passés à Valognes, cloîtrée dans l'hôtel particulier de ton mari, tu n'avais jamais quitté Tourlaville. Tu ne connaissais rien d'autre. Je me souviens de ton ravissement la première fois que je t'ai emmenée en voyage – oh, pas un grand voyage, seulement quelques jours à Vitré, puis à Rennes, mais cela te semblait déjà si loin. Tu ne cessais de répéter : *Je n'imaginais pas que le monde était si grand !* Tu disais que tu voulais passer ta vie à le découvrir, voir d'autres paysages, et même d'autres pays, ceux où poussent des fruits inconnus, où les rivières charrient des paillettes d'or, où les hommes sont si noirs qu'on les croirait brûlés par le soleil. Sans l'avoir jamais vue, tu parlais d'embarquer sur la mer. Tu parlais d'Amérique, de Chine, d'Arabie.

Au printemps, tu m'as annoncé que tu étais enceinte.

Combien de temps aurions-nous pu continuer ainsi, Marguerite ? Nous avions de l'argent, un toit, et tout le nécessaire. Comme dans les histoires que nous racontaient nos nourrices quand nous étions enfants, nous aurions pu vivre heureux très longtemps, j'en suis sûr. Oui, ma belle, nous avions tout ; il ne nous aura manqué que la chance.

Tandis que nous coulions à Fougères des jours insouciants, ton mari s'activait. L'envie de nuire lui faisait oublier la goutte qui torturait sa jambe, et lui insufflait une énergie féroce. Patiemment, il avait constitué le dossier d'accusation, réunissant un à un les témoignages, puis il était allé déposer plainte auprès du bailli du Cotentin. Nous étions recherchés par la maréchaussée. Lui-même avait envoyé dans toute la région des limiers qu'il rémunérait sur ses propres deniers. Sa haine lui faisait oublier son avarice : pour nous trouver, il était prêt à tout mettre en œuvre, dût-il y engloutir sa fortune.

Ils étaient au moins dix à sa solde parcourant le pays, s'arrêtant dans chaque ville, chaque village, en cherchant à savoir si l'on ne connaissait pas un couple récemment arrivé – deux jeunes gens fort riches, avec des chevaux et une suite, cela ne pouvait guère passer inaperçu.

Contrairement à ce que tu croyais, le monde n'est pas si grand, Marguerite. Il était fatal qu'ils nous retrouvent un jour – ce n'était qu'une question de temps.

Au début de l'été, quelque chose a changé : soudain, on nous a regardés d'un œil moins bienveillant. Au village, les gens cherchaient à s'informer sur notre compte; ils posaient à nos domestiques des questions indiscrètes qui les mettaient dans l'embarras. Sans doute nous avait-on soupçonnés depuis le début de ne pas être un couple légitime, mais jamais on ne nous avait témoigné d'hostilité. À présent que ta grossesse devenait évidente, les gens semblaient moins disposés à faire preuve d'indulgence. Cette sourde défiance nous a ouvert les yeux. Nous avons pressenti les risques qu'il y avait à demeurer ici. Nous avons deviné la menace. Alors, nous avons fui.

Après ces mois de douceur où nous ne nous étions pas une seule fois souciés de nous cacher, nous comprenions soudain qu'il n'était pas possible de paraître au grand jour. Pas dans ces petits villages où l'inconnu est immédiatement repéré et jaugé. Ni dans ces bourgs confits d'ennui où les nouvelles vont si vite. Ni même dans ces villes de province où l'habit, où l'accent, signalent aussitôt l'étranger. Pour nos amours, nous ne voyions qu'un seul havre : Paris, assez vaste et grouillant et bruyant pour y cacher tous les amants du monde.

Nous avons mis un mois avant d'y arriver – ta grossesse nous empêchait de voyager plus vite. Oh, Marguerite, le bonheur que nous avons éprouvé en passant la porte Saint-Honoré, au début de septembre ! Nous étions délivrés, pensions-nous. Enfin, nous allions pouvoir nous perdre dans la foule, amoureux, anonymes. Nous avions trouvé notre Éden.

Te souviens-tu, Marguerite, le premier jour, lorsqu'après avoir déposé nos bagages dans un hôtel de la rue Saint-Denis, je t'ai emmenée voir Paris ? Nous étions étourdis par le fracas des chevaux, des carrosses, des carrioles encombrant les carrefours, par les cris, les bousculades. Grisés, ravis, nous nous sommes laissés porter le long des rues par ce grand tourbillon. À un moment, un chien errant s'est approché de toi – un bâtard jaune, affreux –, pour te lécher la main. Je lui ai décoché un coup de pied dans le flanc, et tu as protesté *Julien, la pauvre bête !* tandis que l'animal retournait en geignant fouiller dans le ruisseau.

Nous avons descendu la rue Saint-Denis jusqu'au Châtelet. Je me rappelle t'avoir montré, de l'autre côté du fleuve, le Palais de justice et la Conciergerie. Tu voulais tourner sur la droite pour aller admirer les travaux du nouveau pont dont je t'avais parlé, au bout de l'île de la Cité. J'ai préféré prendre sur notre gauche, jusqu'à l'Hôtel de Ville. Tu t'extasiais de tout – c'était encore plus grand que tu ne l'imaginais, disais-tu – et tu t'agrippais à moi en riant pour ne pas salir ta robe dans la boue du ruisseau. Peine perdue : en rentrant à l'hôtel, nous étions tout crottés, et tu m'as dit : *Quelle ville merveilleuse !*

Ce soir-là, nous avons fait l'amour. Ton gros ventre ne nous gênait pas, ça non, pas plus que ta femme de chambre qui dormait par terre au pied du lit – nous avons toujours eu si faim l'un de l'autre ! Dès que nous nous touchons, le monde n'existe plus.

Si nous avions pu nous douter que ton mari était là, tout proche, près de fondre sur nous ! Il avait suivi nos traces depuis Fougères, étape par étape – Saint-Hilaire-du-Harcouët, Écouché,

104

Saint-Aiglan –, il avait deviné notre plan, filé droit sur Paris, où il était finalement parvenu bien avant nous.

Quand nous sommes arrivés, lui et ses agents nous cherchaient depuis plusieurs jours déjà, visitant chaque auberge et chaque cabaret. Il avait fait les choses avec minutie – la haine lui mettait le diable au corps : il était allé déposer au Châtelet une plainte en bonne et due forme, et il avait pris soin d'emmener avec lui des témoins, des gens rencontrés à Fougères et durant notre fuite, prêts à nous accabler.

Tu as crié bien fort ton plaisir, cette nuit-là, dans notre chambre de la rue Saint-Denis. Ta servante a fait mine de ne rien entendre, mais l'enfant, lui, a remué tant et plus, comme pour nous signifier que nous l'avions dérangé, et cela nous a fait rire – nos derniers rires, ma chérie. Il ne nous restait plus que deux jours de liberté.

La charrette est enfin parvenue au bout du pont au Change. Elle passe le Châtelet et tourne sur la droite. Tu vois, Marguerite, nous allons refaire la promenade de notre premier jour à Paris jusqu'à l'Hôtel de Ville – rue Saint-Jacques-de-la-Boucherie, rue de la Tannerie, place de Grève. Cette fois-ci, nous ne risquons pas de rentrer tout crottés.

Combien de temps avant notre arrivée ? Une demi-heure, à peine – c'est si peu. Presse ton pied contre le mien, caresse-moi avec tes jupons, continue de tourner ton visage vers moi et de me sourire, j'ai un peu peur – plus que toi, il me semble. Ça ne m'étonne pas : de nous deux, tu as toujours été la plus intrépide, la plus déterminée. Oh, oui, donne-moi tes beaux yeux sans pareils, soutiens-moi de ta flamme, j'ai si froid tout à coup. Une demi-heure, c'est bien court, vraiment.

La foule se presse sur notre passage. Entends-tu ce qu'ils disent : *Comme ils sont jeunes, comme ils sont beaux !* J'en vois même qui pleurent. C'est bien rare que l'on pleure quand passe la charrette ; d'habitude, ce sont plutôt des moqueries, des insultes, parfois des cris de joie. Mais aujourd'hui, ils n'ont pas le cœur à ça. Ils nous dévisagent avec stupeur et pitié, et s'extasient de notre ressemblance. C'est vrai qu'on se ressemble, toi et moi, le portrait l'un de l'autre. Quand nous étions enfants, on le disait déjà. Depuis toujours, nous étions faits pour nous confondre.

Notre procès était joué d'avance. Nous avions beau nier, les faits parlaient d'eux-mêmes – nous n'avions guère pris la peine de nous cacher, durant ces derniers mois. Quelle folie, aussi, d'imaginer pouvoir vivre au grand jour un amour qui fait horreur au monde. Comme ils en ont parlé, Marguerite, avec quelle violence : un crime dégoûtant, une abomination, un scandale ! Laissons-les dire

– nous seuls connaissons le lien qui nous unit. Nous seuls savons combien cet amour est beau, combien il est doux et ardent. Et nous n'avons que faire du jugement des hommes.

À cause de ton état, ils ont différé la sentence. Ils ne voulaient pas risquer de tuer un innocent. Tu as accouché fin septembre, au Châtelet, dans ta cellule, d'un garçon qu'on ne t'a pas laissé voir. Nous ne saurons jamais s'il a nos yeux.

Nous voici rue Saint-Jacques-de-la-Boucherie. Qu'il fait sombre, ma chérie, dans cette rue étroite où les vieilles maisons montent si haut, si tordu qu'elles semblent près de se rejoindre au-dessus de nos têtes. La charrette brinquebale sur les pavés boueux, et la foule massée sur les côtés crie *Grâce! Grâce!*, sourdement hostile aux archers qui tentent tant bien que mal de faire place. Tu entends, Marguerite? Ils ne veulent pas qu'on meure. *Grâce! Grâce!* Certains tendent le poing vers le carrosse noir qui nous suit à vingt pas, les vitres masquées par de lourds rideaux de velours grenat. Dedans, il y a le premier président du Parlement Achille de Harlay, le conseiller Courtin, le greffier Voisin et le substitut du procureur général Jacques de La Guesle – du beau linge, bien propre, et sûr de son bon droit! Il n'empêche : ces messieurs ont pris soin de tirer les rideaux pour se dérober aux regards de la foule. Mais ils

ne peuvent pas échapper aux cris : *Grâce ! Grâce !*
C'est toujours ça.

Ils ont essayé de te faire dire que ce n'était pas ta
faute, que je t'avais forcée. Tu aurais pu aller dans
leur sens, et m'accabler pour avoir la vie sauve. Je
ne te l'aurais pas reproché ; du moment que cela te
permettait d'en réchapper, je crois même que cela
m'aurait soulagé. Mais tu n'as pas voulu. Plutôt que
m'accuser, tu as préféré nier contre toute évidence
que je t'aie jamais touchée. Nous avions à ce point
uni nos destinées qu'il te semblait absurde de les
séparer à l'heure du dénouement. Du reste, quel
avenir se présentait à toi si tu restais en vie ? Revenir
à ce porc qui a fait ton malheur ? Subir à nouveau
ses menaces, ses violences, sa vieille queue puante ?
Tu préférais mourir, ma belle, je te comprends !

Rue de la Tannerie, déjà. Tout au bout, on aperçoit
la place inondée de lumière, et la croix en son centre,
surplombant l'échafaud. Elle en a vu des supplices,
celle-là, et souvent pas bien beaux – roués, pendus,
bouillis, décapités. Parfois, ils crient leur innocence,
tellement qu'on finit par les croire et qu'on est soulagé lorsqu'enfin, ils arrêtent. Parfois, ça craque, ça
pue, ça gicle, et l'assistance s'écarte épouvantée. La
croix, elle, ne bouge pas : été comme hiver, elle reste
dressée, le Christ tout figé dans sa dureté de pierre.
Quand je te disais, Marguerite, qu'il ne fallait pas
compter sur une croix pour te sauver.

Sauvés, nous aurions pu l'être, pourtant : hier, notre père est allé se jeter aux pieds du roi pour lui demander notre grâce. Le roi n'était pas loin de nous l'accorder, paraît-il, mais la reine s'est offusquée, a crié au scandale, et le roi Henri a cédé : il a dit, tout navré, qu'il aurait sans doute pu nous pardonner l'inceste, mais que l'adultère, ça non, il ne pouvait pas. Et la reine s'est calmée, satisfaite.

Voilà, Marguerite, c'est ainsi : nous mourrons par la faute d'un méchant vieillard qui se dit ton mari et d'une grosse Florentine que le roi fait cocue plusieurs fois par semaine.

Notre père a tout de même obtenu du roi une grande faveur : celle de pouvoir, quand tout sera fini, récupérer nos corps. Dans notre malheur, nous avons de la chance. On ne nous jettera pas au charnier de Montfaucon, dans cette fosse immonde où pourrissent pêle-mêle et cul par-dessus tête voleurs et faussaires, violeurs et assassins. Nous allons échapper à cette danse macabre. On nous fera de vraies funérailles, et nous irons dormir en terre consacrée, côte à côte comme l'époux et l'épouse, et pour l'éternité. C'est ce que nous voulions, n'est-ce pas, ma chérie ?

Ça y est, nous arrivons. Tu clignes des yeux, éblouie de te retrouver soudain en plein soleil après ce long trajet à travers les rues sombres. Un bref instant, tu ramènes vers ton visage tes mains liées par une cordelette, comme pour te protéger, puis tu reprends la pose, très vite – tu veux faire bonne figure, leur montrer ton visage, qu'ils en profitent, ils sont ici pour ça.

Autour de nous, la foule continue de crier *Grâce ! Grâce !* Regarde-les, comme ils sont bouleversés, plus que nous, on dirait. Et là, près de la croix – tu as vu, Marguerite ? –, ce chien jaune couché, museau levé, immobile comme un sphinx. On dirait... Oui, tu le reconnais, toi aussi – je sens que tu frémis. Et voilà maintenant que tu te mets à pleurer. Ce n'est pas de peur ni de chagrin, j'en suis sûr, car tu souris. D'ici quelques instants, tout sera fini.

Tu passeras la première ; ils nous l'ont annoncé tout à l'heure, à la Conciergerie. Ma chérie, c'est si dur de penser que je vais devoir assister à ton supplice ! Mais j'en suis heureux, malgré tout, si cela peut t'épargner l'horreur de me voir mourir.

Tu as dit que tu ne voulais pas qu'on te coupe les cheveux – tu as bien raison, mon amour, ils sont trop beaux. Le bourreau a insisté, l'air ennuyé : *Madame, le cou doit être dégagé, vous comprenez, rien ne doit venir gêner...* Ramenant sur le côté la masse de tes cheveux, tu lui as répondu : *Je les mettrai comme cela, le moment venu. Cela vous convient-il ?* Il est resté sans voix devant ta nuque blanche, et cette masse fauve qui te tombait sur l'épaule comme un lourd écheveau de soie couleur de miel. *Cela vous convient-il ?* as-tu répété, humblement. Et il a balbutié *oui*, *oui*, tout rouge, le pauvre homme.

Nous sommes arrêtés. On nous dit de descendre. Nous voici face à face. Tu fais un pas vers moi – nous nous touchons presque. Tu me regardes. Ton sourire me déchire le cœur.

Marguerite, mon amour, je n'ai plus peur de ce qui nous attend. Je ne crois pas à l'Enfer, à cette damnation qu'on nous promet. Je ne crois qu'au Ciel, où nous monterons, c'est sûr, d'ici quelques instants. Je nous imagine, ma sœur, fantômes vaporeux, tournoyant, libres et légers, enfin. Et je sais que, dans cet ailleurs où les lois des hommes n'ont plus cours, nous nous aimerons toujours.

Ci-gisent le frère et la sœur.
Passant, ne t'informe pas
de la cause de leur mort, mais passe
et prie Dieu pour leur âme.

Église Saint-Jean-en-Grève,
Paris, 1603

Philanthropie

Le clocher se met à sonner au moment précis où le fiacre, parvenu en haut de la rue Laffitte, se retrouve face à Notre-Dame-de-Lorette. Tandis que la voiture tourne lentement sur la gauche dans la rue Ollivier, M. Jouet lève un regard inquiet sur la haute façade, et ne peut s'empêcher de frissonner : cette église lui paraît, à travers la vitre, étrangement lugubre. C'est peut-être la nuit, cette lune blafarde, ou bien ces trois statues qu'il devine là-haut, perchées sur le fronton – la Foi, l'Espérance et la Charité, pieux acrotères et sombres sentinelles dont M. Jouet sent peser le regard, tandis que le clocher sonne ses derniers coups.

Dix heures, déjà ! Sa femme va s'inquiéter, sa chère Élise qui ne peut fermer l'œil tant qu'il n'est pas rentré. Dans quel état va-t-il la retrouver, mon Dieu ? Il aurait dû la prévenir, au moins.

M. Jouet se renfonce dans la banquette en se

rongeant les sangs. Il s'en veut d'avoir accepté la proposition de M. d'Outrefaille. Il a bien essayé de résister, objectant l'heure tardive, et aussi… Oh, ce n'est pas qu'il soit bégueule – sachant ce qu'elle masque souvent d'hypocrisie, il ne hait rien tant que la pruderie –, mais tout de même… Ignorant ses réserves, M. d'Outrefaille a dit en souriant :

– Mon cher, acceptez seulement de rencontrer cette dame, et vous verrez s'envoler tous vos scrupules !

Et comme M. Jouet, peu convaincu, demeurait indécis :

– Que diable, mon cher Jacques, quittez cet air contrit ! Je vous sais homme de cœur, et large d'esprit. Et je sais aussi quelle énergie vous dépensez à courir sans cesse après les fonds. Pas un instant je n'imagine que vous puissiez, cédant aux préjugés, mépriser une générosité sincère qui vient s'offrir pour ainsi dire d'elle-même. Et puis, saint Luc n'écrit-il pas dans son Évangile que le Christ laissa la femme pécheresse lui laver les pieds avec des parfums ?

Pris au dépourvu par cette allusion biblique imparable, M. Jouet n'a plus eu qu'à répondre, d'une voix accablée :

– C'est bien, allons voir cette dame. Mais alors, faisons vite. Ma femme, vous comprenez… Je ne voudrais pas qu'elle se fasse du souci.

– Mon ami, ne vous tourmentez pas : je vous

promets de vous ramener chez vous avant que votre femme n'ait eu le temps de s'inquiéter. Allons-y tout de suite ; ma voiture nous attend.

Voilà comment M. Jouet se retrouve en cette heure tardive dans ce quartier si éloigné du centre, ce quartier qu'il ne connaît pas… *Seigneur*, gémit-il en lui-même, *tirez-moi de ce piège !*

Assis en face de lui, ses fines mains gantées serrant une fort belle canne à pommeau, M. d'Outrefaille affiche son éternel sourire et reste silencieux. Il émane de lui une force tranquille qui n'est pas de l'arrogance, non, seulement l'assurance des hommes richissimes, persuadés que le monde se pliera toujours à leur volonté. *Le fait est que le monde leur donne rarement l'occasion de se démentir*, pense M. Jouet avec une admiration teintée de mélancolie.

De toute façon, refuser lui était impossible ; il ne pouvait courir le risque de mécontenter un donateur aussi fidèle et généreux, un donateur capable de se défaire avec désinvolture de sommes considérables, comme s'il n'y avait pour lui aucune différence entre un sou et un million. M. Jouet n'a jamais bien compris d'où vient cette fortune, qui semble inépuisable : M. d'Outrefaille a parlé une fois de mines d'or en Afrique, et aussi de mines de diamants en Amérique… à moins que ce ne soit l'inverse, les diamants en Afrique et l'or en Amérique. M. d'Outrefaille raconte tant de choses qu'on s'y perd, à la longue, mais qu'importe. Il est l'un de leurs plus généreux donateurs. M. Jouet ne fera jamais rien qui puisse le contrarier.

Il soupire : pourquoi continuer à se tourmenter ? Il a pris la bonne décision, la seule possible. Tandis qu'un pâle sourire se dessine sur sa face mélancolique, ses yeux brillent du feu des hommes convaincus.

Il y a des années, M. Jouet s'est donné une mission : soulager la misère, cette fange noire et puante qui assaille l'humanité, la ravale, la détruit. Il ne supportait pas de la voir déferler sur le monde, partout s'insinuer. Il voulait nettoyer les écuries d'Augias.

Il a mis tout son cœur dans cette bataille, toutes ses forces : sans trêve, il a œuvré pour la Société de Charité, s'est démené pour réunir des fonds et mobiliser les consciences. Durant des années, il s'est laissé porter par la certitude que le progrès, conduisant l'homme vers toujours plus de lumière, ferait peu à peu reculer la misère, et finirait un jour par la vaincre tout à fait.

Ses efforts ont payé : la Société a acquis au fil du temps une petite notoriété, et elle reçoit l'appui de donateurs fidèles. C'est un réconfort de penser au nombre de repas que l'on parvient à distribuer chaque année, au nombre de vêtements, de chandelles, de couvertures… Un réconfort, certes, et pourtant M. Jouet n'en retire plus la même satisfaction qu'autrefois. Ça lui est venu avec l'âge.

La vie s'est chargée de balayer ses illusions, et il a compris, peu à peu, que la misère est comme la violence : elle ne finira jamais.

Le feu ne s'est pas éteint, non, il brûle même encore plus fort, car M. Jouet n'est pas homme à baisser les bras. Il sait bien qu'il n'a rien d'un Hercule : jamais il ne pourra nettoyer les écuries d'Augias ; mais ça ne l'arrête pas. Même s'il n'en dégage qu'un recoin minuscule, eh bien, ce sera toujours ça. Alors, sans cesse, il se remet à l'ouvrage. Seulement, avec le temps, son énergie est devenue celle du désespoir, et M. Jouet est devenu un homme triste.

– Qu'avez-vous, mon cher Jacques ? demande M. d'Outrefaille. Vous semblez contrarié.

– Je ne le suis pas, je vous assure.

– Durant tout le dîner, je vous ai trouvé morose.

– Il est vrai que je… je ne me sentais pas dans mon assiette. Si j'ai pu vous paraître un piètre convive, je vous prie de m'en excuser !

– Ne vous excusez pas ; cela arrive à tout le monde. Je m'inquiète pour vous, c'est tout. Vous m'avez toujours l'air si tourmenté.

M. Jouet hoche la tête, imperceptiblement, et demeure muet. Que peut-il répondre à cet homme jovial et généreux, qui affiche si sereinement son opulence ? Comment lui expliquer qu'à force de côtoyer la misère, il ne parvient plus à jouir de la vie ?

Chaque fois qu'il allume un cigare, se verse un bon vin, s'assied pour lire au coin du feu, pose la tête sur un oreiller garni de plumes d'oie – tous ces gestes qui font la douceur de l'existence –, M. Jouet repense aux malheureux croisés dans les taudis. Ils ont tous des têtes de vieillards, même les enfants. Dévorés par la faim, la gale, les poux et la tuberculose, croupissant dans ces gourbis où jamais ne pénètrent ni l'air ni le soleil, ils n'ont plus d'âge. M. Jouet se rappelle leurs gémissements ou, pire, leur silence, leurs mains tendues, rapaces à force de misère, et ces souvenirs l'empêchent de profiter des bonnes choses.

Ce soir encore, dans ce grand restaurant du Véfour où l'a généreusement invité M. d'Outrefaille, il n'a pas cessé de se demander ce qu'il faisait là, dans ce décor brillant d'or, de cristal, avec des vins rares en carafe et des mets délicieux sur des plats en argent : turbot à l'amirale, selles de venaison à l'anglaise, poulardes à la Rozolio, filets de bécasses à la Favorite, quenelles de rouget au velouté, faisans truffés sauce Périgueux, chapons rôtis au cresson... Il a tout avalé, vaillamment, et aussi les potages, les hors-d'œuvre, les relevés, les desserts. Mais le cœur n'y était pas, et c'était comme manger une poussière insipide, une cendre impondérable. D'ailleurs, étrangement, malgré tout ce qu'il s'est forcé d'engloutir, il a l'impression de n'avoir quasiment rien mangé.

Mais M. Jouet s'en voudrait d'avouer ces

tourments à M. d'Outrefaille dont le regard intrigué le scrute en cet instant avec, dans le fond, une pointe d'étonnement ou, peut-être, d'ironie. Sans doute M. d'Outrefaille trouverait-il cette mauvaise conscience bien vaine, bien stupide, et même ridicule – en quoi changera-t-elle le sort des pauvres gens ? –, et sans doute aurait-il raison. Mais M. Jouet n'y peut rien, c'est ainsi, et il doit vivre avec : même s'il se retient de l'avouer, il a perdu cette part d'égoïste insouciance sans laquelle aucun bonheur n'est possible.

– Ne vous inquiétez pas pour moi, finit-il par répondre. Tout va bien. C'est seulement l'ampleur de la tâche qui m'accable, parfois.

M. d'Outrefaille hoche la tête d'un air compréhensif, et M. Jouet poursuit d'une voix enfiévrée :

– Trouver des donateurs, récolter de l'argent, toujours plus : cette mission m'obsède – il y a tant à faire ! Il m'arrive d'en rêver la nuit.

– Mon cher Jacques, vous devez vous ménager, sinon vous y laisserez votre santé !

– C'est ce que me dit ma femme, répond M. Jouet avec un sourire triste. Mais cela m'est impossible : j'ai le sentiment, voyez-vous, que je n'en ai pas le droit.

Détournant les yeux, il jette un regard à travers la vitre. Comme la rue semble hostile, si pleine d'ombres étranges sous cette lune en deuil ! Où peuvent-ils bien être ?

– Ne vous inquiétez pas, lui dit M. d'Outrefaille. Nous sommes presque arrivés.

Presque arrivés, c'est bien. Finalement, le
voyage n'aura pas duré si longtemps depuis le
Palais-Royal. Maintenant, il s'agit de mener l'affaire rondement. Une visite, une simple et courte
visite, et ensuite, M. d'Outrefaille le raccompa-
gnera auprès de son épouse. Tout cela n'a rien de
bien terrible, au fond. Bien sûr, cette... cette *dame*
est ce qu'elle est. Mais après tout, *il faut de tout
pour faire un monde*, n'est-ce pas ? Lui-même,
dans ses jeunes années, avant qu'il ne soit uni à
sa chère Élise par les liens sacrés du mariage, eh
bien, lui-même a parfois... Il était jeune alors, et
comme on dit : *Il faut que jeunesse se passe.*

Et puis, M. d'Outrefaille le lui a assuré, cette
Mme Gauthier prévoit de se montrer très géné-
reuse. Alors, quoi qu'il en coûte, cela vaut la peine
d'effectuer cette visite, si la Société de Charité
récolte au bout du compte une assez jolie somme.
Heureusement, *l'argent n'a pas d'odeur.* Il suffira
de persuader cette dame de bien vouloir demeurer anonyme, ce qui devrait pouvoir se faire sans
trop de mal, compte tenu de sa situation... Au
moment précis où M. Jouet parvient à faire taire
ses derniers scrupules, M. d'Outrefaille s'exclame
en frappant de sa canne le plancher de la voiture :

– Cher ami, nous y sommes !

* * *

La maison est austère, étroite, et comme endormie.

– C'est donc ici ? murmure M. Jouet, sentant soudain revenir toutes ses appréhensions.

– N'ayez aucune crainte : il s'agit là de l'hôtel particulier de Madame Gauthier. L'autre *maison* est mitoyenne, mais son entrée se fait par la rue de derrière, de sorte que nous ne courons aucun risque de croiser l'une de ces demoiselles, ou un habitué. Vous imaginez bien, mon ami, que je ne vous aurais rien demandé qui risquât de vous compromettre !

M. Jouet hoche la tête, mi-figue mi-raisin, troublé de constater que M. d'Outrefaille connaît si bien la configuration des lieux, mais aussi soulagé de savoir que leur visite ne les mêlera pas directement aux activités de Mme Gauthier. Pour ce qui est de ne pas se compromettre... Enfin, *Alea jacta est*, se dit-il, fataliste, tandis que son comparse actionne le heurtoir.

La petite bonne qui les accueille est fraîche et pimpante, comme si elle était tout heureuse de les voir. Après les avoir débarrassés de leurs manteaux et de leurs hauts-de-forme, elle les introduit dans un salon où une belle flambée a été allumée, et propose aussitôt de leur servir un cognac, *en attendant*.

– Ah, mais bien volontiers ! répond M. d'Outrefaille.

M. Jouet ne dit rien. Mais la bonne sert tout de même deux verres.

– Madame ne va plus tarder, assure-t-elle avant de se retirer, un petit sourire aux lèvres.

M. d'Outrefaille s'assied aussitôt dans une bergère, jambes croisées, à l'aise. Il lève son verre à hauteur de ses yeux pour apprécier la couleur du liquide à la lueur des flammes :

– Après un bon dîner, rien ne vaut un bon cognac devant un bon feu ! dit-il en s'étirant comme un gros chat repu.

M. Jouet acquiesce en saisissant son verre pour se donner contenance. *Seigneur, comme il fait chaud ici !* pense-t-il en avalant une gorgée de cognac, puis une autre, puis une autre, espérant calmer le malaise qu'il sent monter en lui.

Le voilà qui se met à faire les cent pas, en parcourant des yeux cette pièce un peu sévère et chichement meublée : deux tables marquetées, chacune supportant un candélabre à cinq branches ; quatre sièges de style moderne – deux fauteuils, deux bergères –, tendus de brocart bleu sombre ; un grand tapis aux ramages vert et ciel ; de lourds rideaux jaunes à franges d'or et embrasses à pompons. Rien sur les murs, hormis un crucifix, immense et d'un saisissant réalisme, au-dessus de la cheminée.

– Hé, hé, avouez que vous ne vous attendiez pas à un tel décor, lui dit M. d'Outrefaille.

– Je ne m'attendais à rien.

– Madame Gauthier est une personne très pieuse, voyez-vous. Du reste, c'est souvent le cas des gens qui ont connu, comme elle, de cruelles épreuves...

M. Jouet hoche la tête avec circonspection. M. d'Outrefaille poursuit, baissant la voix :

– Laissez-moi vous raconter en deux mots ce qu'a été sa vie, et vous comprendrez mieux quelle impérieuse nécessité l'a poussée, il y a des années, à ouvrir cet établissement.

À vrai dire, M. Jouet n'a aucune envie de connaître ces détails biographiques. Heureusement pour lui, l'arrivée de leur hôtesse coupe opportunément court à la conversation :

– Oh, vous êtes venu, comme vous me l'aviez promis ! s'exclame-t-elle en se précipitant vers M. d'Outrefaille, qui se lève aussitôt pour lui baiser la main.

Puis, se tournant vers M. Jouet :

– Et vous m'avez amené votre ami ! Je suis comblée !

Elle lui tend la main qu'il saisit, légèrement tremblant, pour la baiser.

– Messieurs, venez donc vous asseoir.

Il y a tant de gaieté dans sa voix, d'enthousiasme, que M. Jouet en est déconcerté.

Tandis qu'elle prend place, face à lui, il se donne le temps de la dévisager. C'est une femme avenante, plus très jeune, un peu grasse, dont le visage lui rappelle vaguement... oh, mais oui, cela semble incroyable ! Elle ressemble à sa chère Élise : mêmes traits austères, tout en restant aimables ; même regard profond, même double menton... M. Jouet en est tout retourné.

– Ah, voilà mon petit fripon ! dit Mme Gauthier.

Un chien vient d'entrer dans la pièce. En trois bonds, il se retrouve aux pieds de sa maîtresse, le museau à moitié enfoui dans ses jupes.

– Cette bête est un amour, fait-elle, tout attendrie.

– Je n'en ai jamais vu de semblable, remarque M. d'Outrefaille. De quelle race est-il ?

– D'aucune, je crois bien ! Un bâtard de la plus pure espèce ! Mais je n'ai jamais connu bête plus affectueuse.

Le chien frétille tandis qu'elle lui flatte le cou.

– Un matin, en ouvrant ma porte, je l'ai trouvé sur le seuil. Il est entré – je n'ai pas pu l'arrêter –, et il a filé directement au jardin, comme s'il connaissait la maison ! Au début, j'ai voulu le chasser, vous pensez bien, mais allez attraper un pareil animal ! Il a fallu lui courir après pendant des heures. J'avais appelé mes filles à la rescousse, et tous les domestiques, mais pas moyen. À la fin, nous y sommes tout de même parvenus, et alors que j'étais bien décidée à le jeter à la rue, il s'est couché devant moi en gémissant, et en me regardant avec des yeux... des yeux... oh, c'est bien simple, je n'ai pas pu résister. Je me suis dit : *Après tout, pourquoi ne pas le garder ? Il veillera sur la maison, et cela me fera une compagnie* – je suis si seule, vous savez ! Et voilà, je m'y suis attachée. Ça ne se commande pas…

M. Jouet sourit. C'est une bien belle, bien tendre histoire. Mme Gauthier poursuit, intarissable :

– Je l'aime à la folie, même si c'est un fripon ! glousse-t-elle. Il connaît des tours, cet animal… des tours… des tours de cochon !

La gueule du chien s'entrouvre alors dans un rictus, découvrant une langue frétillante et des canines singulièrement pointues. M. Jouet, troublé, jette à M. d'Outrefaille un regard interloqué. Mais M. d'Outrefaille semble ailleurs. Tandis que le chien trottine jusqu'à son panier devant la cheminée, il s'éclaircit la gorge et murmure en se penchant vers Mme Gauthier :

– Puis-je vous demander où se trouvent les commodités ?

– Oh, mais bien sûr ! Je vais demander à la bonne de vous indiquer le chemin.

– Ne vous dérangez pas, je saurai bien trouver moi-même, dit-il en se levant d'un bond, avant d'ajouter : Je vous prie de m'excuser ; je n'en ai que pour un instant.

Puis il s'éclipse, souplement, avec cet air de chat que M. Jouet lui connaît bien.

Le voilà seul avec Mme Gauthier. La porte du salon est restée entrouverte. Ce détail le rassure, inexplicablement.

127

– Quel homme exquis ! soupire son hôtesse.

– Oui, vous avez raison.

– Si bon, si généreux !

M. Jouet se demande à quelle sorte de générosité Mme Gauthier peut bien faire allusion. Dans le doute, il se contente de hocher la tête d'un air pénétré. Elle poursuit, volubile :

– Je suis si heureuse qu'il ait eu la bonté de vous amener à moi !

Et elle lui jette ce regard éperdu qu'ont les femmes, parfois, pour vous faire comprendre combien elles vous admirent. Il s'en trouve flatté, au fond, mais cela ne dissipe nullement son malaise.

– Finalement, nous faisons un peu la même chose, vous et moi, ajoute-t-elle en battant des paupières.

Il sursaute, très légèrement.

– Je veux dire, poursuit-elle, vous et moi contribuons, chacun à sa manière, à l'amélioration de notre société.

– Sans doute, bredouille-t-il, un peu désorienté.

– Vous consacrez votre vie à soulager la misère des pauvres gens, source de tant de vices. Je me charge, pour ma part, de soulager un autre genre de misère : celle qui rive l'homme à ses instincts les plus vils.

Elle se tait durant quelques instants, comme perdue dans une sombre méditation. Puis elle laisse tomber d'un air lugubre :

– Qu'est-ce que l'homme, au fond ? Rien d'autre qu'une bête rasée de près. Il peut bien s'affubler d'une redingote, d'une chemise à jabot, d'un gilet à gousset, dans sa chair, dans ses instincts, il reste une bête, et pour ses semblables, un danger permanent.

Elle tourne vers lui un regard exalté :

– N'êtes-vous pas d'accord ?

M. Jouet ne se sent pas très bien : sa redingote, soudain, est devenue de plomb, sa chemise l'étrangle et son gilet le serre de façon douloureuse. Heureusement, il ne perd pas son sang-froid – étant homme du monde, il est versé dans l'art de se tirer des pièges de la conversation :

– *Homo homini lupus*, lance-t-il en réprimant une grimace de douleur. (Ce dîner, finalement, lui pèse sur l'estomac.)

Mme Gauthier le regarde, surprise.

– *L'homme est un loup pour l'homme*, traduit-il. C'est de Plaute, un auteur latin.

– Eh bien, ce Monsieur Plaute est un sage ! *L'homme est un loup pour l'homme*, on ne pourrait mieux dire – et je sais de quoi je parle, croyez-moi !

La bouche de Mme Gauthier se crispe d'une moue dégoûtée qui accentue de façon troublante sa ressemblance avec l'austère Élise.

– L'homme est un prédateur, dit-elle en frissonnant. Partout où il passe, il se comporte comme tel. On ne peut rien y faire, c'est sa nature, l'expression des pulsions qui travaillent sa chair... Voulez-vous reprendre un doigt de cognac ?

– Oui... oui, répond-il, heureux de cette diversion.

– Je vous laisse vous servir à votre convenance.

M. Jouet se verse en tremblant une large rasade. C'est bien plus qu'il n'en a l'habitude, mais en ces circonstances cela semble tout indiqué : il a besoin de s'étourdir un peu.

– Où en étais-je ?... Ah, oui, un prédateur, disais-je.

– Un prédateur, répète-t-il en portant le verre à ses lèvres.

– Et quelles sont ses proies, je vous le demande ? Les jeunes filles et les femmes mariées ! Imaginez ce qui se passerait si rien n'était fait pour les protéger du danger. Imaginez les conséquences – surtout lorsqu'on sait la faiblesse morale inhérente à la nature féminine – si rien ne détournait les hommes de porter leurs instincts sur ces créatures inviolables. C'est bien simple, ce serait un déferlement de vice qui saperait l'un des piliers les plus sacrés de notre société : la famille. Ce serait la fin de la civilisation !

Dans la cheminée, une bûche calcinée s'effondre en sifflant dans un crépitement d'étincelles, comme pour appuyer ce discours d'apocalypse. L'effet est saisissant. Mme Gauthier poursuit, galvanisée :

– Canaliser tous ces mauvais instincts est un devoir moral !

– C'est certain, chère Madame, susurre M. Jouet, la main crispée sur son verre à cognac.

– Eh bien, précisément, un établissement comme le mien sert à purger les hommes de leurs vices pour le bien de la société. C'est une sorte de... de déversoir, d'égout chargé de recueillir toutes les semences impures. Une immense entreprise de moralisation ! Un organisme de bienfaisance, en quelque sorte !

Elle lève un regard passionné vers le Christ accroché au manteau de la cheminée :

– Mes filles sont comme Lui : elles se chargent de tous les péchés du monde ; elles s'offrent en sacrifice pour sauver l'humanité. Exactement comme Lui ! N'êtes-vous pas d'accord ? fait-elle en tournant vers M. Jouet un regard si intense qu'il en devient inquiétant.

Il reste coi. Dans le fond, il n'est pas loin de partager les vues de son hôtesse. Seulement, de là à comparer les pensionnaires de cette maison au Seigneur Jésus-Christ... Le rapprochement lui semble à vrai dire bien délicat, bien scabreux. Seigneur, comme il fait chaud ! M. Jouet pique du nez dans son verre à cognac, aspire une lampée de liquide brûlant, puis lance, d'une voix légèrement chevrotante :

– Chère Madame, cette façon de voir n'est pas sans pertinence, et je la crois partagée par grand nombre de nos contemporains.

Elle sourit, satisfaite :

– Laissez-moi maintenant vous faire part de la raison qui m'a poussée à vouloir vous rencontrer. Comme Monsieur d'Outrefaille vous l'a peut-être dit, je suis femme de bien. Toute ma vie, je me suis dévouée pour mon prochain, et ce, malgré des épreuves sans nombre... Mes filles vous le diraient, je suis une mère pour elles, veillant à leur confort matériel autant qu'à leur élévation spirituelle. Elles vont à la messe tous les dimanches, savez-vous ?, à l'office de onze heures (avant, c'est un peu tôt, compte tenu des horaires de travail, vous comprenez), et à confesse au moins une fois par mois. Les règles sont très strictes, et personne n'y déroge. Chaque nouvelle est prévenue : c'est cela ou rien !

– C'est prendre votre rôle fort à cœur.

– Sans cesse, je rogne sur mes marges pour leur assurer une vie meilleure.

– Vous êtes admirable.

– Mais je veux en faire davantage pour aider mon prochain. Aussi ai-je tout naturellement pensé apporter un soutien financier à votre société de bienfaisance, dont notre ami Monsieur d'Outrefaille m'a si souvent parlé.

Nous y voilà enfin, se dit M. Jouet. L'argent. C'est le cœur du sujet. C'est pour cela qu'il est là.

– Chère Madame, murmure-t-il, ces généreuses intentions vous honorent.

– Seulement, voyez-vous, je ne veux pas me

contenter d'un don ponctuel. Je veux un engagement plus complet. C'est pourquoi j'ai pensé vous verser – je veux dire, verser à la Société de Charité – chaque mois un pour cent des bénéfices de ma maison.

La main gauche de M. Jouet se crispe sur l'accoudoir, tandis que le verre à cognac se met à trembler dans sa main droite.

– Un pour cent chaque mois, répète Mme Gauthier, ce qui, entre nous, représente une assez jolie somme ! Ce sera une joie pour moi de me défaire de cet argent, s'il peut vous être utile.

M. Jouet demeure sans réaction. Elle plisse les yeux en le dévisageant, les traits durcis, imperceptiblement :

– Et ce sera pour moi un tel honneur, poursuit-elle, de figurer sur la liste des membres bienfaiteurs de votre société.

M. Jouet porte son verre à ses lèvres, et avale d'un trait le reste de cognac. Ça lui brûle la gorge et lui tord l'estomac, mais il reste stoïque :

– Vous… vous ne souhaitez pas demeurer anonyme ?

Elle se redresse sur son siège, raide comme la justice :

– Mais certainement pas ! fait-elle d'une voix glaciale. Une somme pareille, vous pensez bien ! Je veux avoir mon nom dans votre bulletin, à côté de celui de Monsieur d'Outrefaille. À moins, bien sûr, que cela ne pose un problème…

Vite, vite, trouver à lui répondre sans la froisser. Se sortir de ce piège, et puis rentrer chez lui, qu'on en finisse. Échapper à ce regard devenu soudain si dur, si perçant. Il fait trop chaud ici, trop chaud, décidément.

– Chère Madame, bafouille-t-il, laissez-moi tout d'abord vous faire part de ma vive admiration.

Elle respire un peu fort, et cela fait rouler les perles de son collier, comme une anguille nacrée entre ses seins poudrés.

– Toutefois, le don que vous me proposez là est d'une nature si… inhabituelle que je ne saurais l'accepter sans l'accord préalable de mon conseil d'administration.

Elle se crispe, presque effrayante, et ses yeux s'étrécissent encore.

– Ne craignez rien, nul doute qu'il donnera son consentement, poursuit-il, le rouge au front.

– Vous plaiderez ma cause, n'est-ce pas ? dit-elle doucement.

– Cela va de soi, chère Madame.

M. Jouet est un homme droit. Il n'aime pas mentir, vraiment pas. Mais ce qui le trouble le plus, en l'occurrence, c'est de ne pas trop savoir ce qui le pousse à mentir : la courtoisie qu'il doit à son hôtesse, ou l'appréhension vague qu'elle lui inspire. Il se sent si stupide, soudain, si mal à l'aise. M. d'Outrefaille n'aurait-il pas dû revenir depuis longtemps déjà ? Où est-il donc passé ? Et pourquoi l'a-t-il attiré dans un tel traquenard ?

– Alors, c'est bien vrai, vous userez de votre autorité pour plaider en faveur de ma proposition ? demande Mme Gauthier.

– Oui, j'en prends l'engagement.

Elle se détend, d'un coup, et le gratifie d'un sourire satisfait :

– Monsieur d'Outrefaille m'avait bien dit que vous étiez un homme bon ! Tenez, cela s'arrose !

Elle tend la main vers le flacon de cognac :

– Vous en reprendrez bien un doigt avec moi ?

M. Jouet secoue la tête avec véhémence :

– Ce ne serait pas raisonnable.

– Allons, un doigt de cognac, ça ne peut pas faire de mal. Si j'étais vous, je me laisserais tenter.

Il la regarde, et lui trouve comme un air de Dalila, avec ses yeux brûlants et les deux bandeaux de cheveux sombres encadrant son visage. Il frissonne, ferme les yeux, et sent son cœur qui bat tout de travers. Instinctivement, il y porte la main, comme si ce geste pouvait suffire à en calmer le rythme désordonné.

– Ça ne va pas, mon ami ?

Lorsqu'il rouvre les yeux, Dalila n'est plus là, seulement Mme Gauthier qui le regarde avec inquiétude – visage compatissant si semblable à celui de son épouse que le trouble revient, mais sous une autre forme.

– Vous n'avez pas l'air d'aller, oh non, pas bien du tout ! Voulez-vous que je fasse appeler un docteur ?

– Non, pas ça ! répond-il, hurlant presque.

– Allons, allons, calmez-vous, fait-elle d'une voix onctueuse. Tenez – elle lui sert un plein verre de cognac –, ça vous remontera.

Cette fois-ci, il ne résiste pas. Il se laisse aller au fond de son fauteuil et, les yeux mi-clos, siffle tout le cognac sans même en respirer l'arôme.

– Vous ne nous avez pas laissé le temps de trinquer pour conclure notre affaire ! lui fait-elle remarquer.

Puis elle a un petit rire, légèrement moqueur, et comme tout à l'heure cela fait tressauter les perles entre ses seins. C'est beau.

M. Jouet se sent comme anesthésié, tout à coup – l'alcool, sans doute. Quelque chose ne va pas. *Mon Dieu*, se dit-il, *je dois sortir d'ici !*

Il voudrait prendre congé, rentrer chez lui, retrouver son épouse, sa chère Élise. Mais, sans M. d'Outrefaille, c'est impossible. Où est-il donc passé ? La situation devient vraiment délicate.

Mme Gauthier ne semble pas s'impatienter outre mesure. Appuyée contre le dossier capitonné de sa bergère, elle sirote à petits coups son verre de cognac, pensive, satisfaite. Lui, se sent au supplice. Si seulement M. d'Outrefaille pouvait revenir enfin, l'arracher à ce salon où il fait si chaud, à cette femme qui ressemble tant à la sienne ! Non, somme toute, pas tant que ça... à bien la regarder, pas tant que ça.

Du couloir lui parvient soudain une rumeur : des rires lointains – des rires de femmes –, et un fond de musique.

– Ah, cette maudite porte ! fait Mme Gauthier. Toujours à s'ouvrir toute seule. À croire qu'on l'a ensorcelée !

C'est alors que le chien bondit de son panier et file dans le couloir.

– Oh, le petit fripon, le voilà qui s'échappe ! Reviens ! Allons, reviens !

Ses cris aident M. Jouet à secouer sa torpeur.

– Voulez-vous que je le rattrape, chère Madame ?

– Oh, vous feriez cela ? Je veux bien alors, je veux bien. Il ne faudrait pas qu'il passe *à côté*, vous comprenez.

– Ne vous inquiétez pas. Ce sera l'affaire de quelques instants.

M. Jouet se précipite à la suite du chien, soulagé de trouver enfin l'occasion de quitter cette pièce surchauffée et la compagnie de Mme Gauthier.

***

Le chien est assis là, sur les dalles du couloir. Il le regarde fixement. On dirait qu'il l'attend.

– Viens ! dit M. Jouet en lui tendant la main.

Il fait trois pas vers lui. Le chien remue la queue et incline la tête. Il se laisse tranquillement approcher ; on jurerait qu'il sourit.

Mais au moment où M. Jouet se baisse pour le saisir par le collier, le chien fait un bond de côté, et court droit vers la porte entrouverte qui mène à la maison voisine.

– Oh, crie Mme Gauthier depuis le seuil du salon. Ramenez-le, ce garnement !

M. Jouet n'a pas d'autre choix que de s'exécuter.

Le cœur battant, il approche à pas lents de la porte entrouverte. La musique et les rires lui semblent à présent plus distincts. Pas de doute : il y a foule là-derrière, et la fête bat son plein.

Le chien est resté sur le seuil. M. Jouet a encore bon espoir de pouvoir le saisir avant qu'il ne s'enfuie de l'autre côté. Il prie de ne pas avoir à franchir cette frontière effrayante. Peine perdue ! Le chien se sauve de nouveau.

– Oh, fait Mme Gauthier d'une voix agacée – est-ce à cause du chien, ou de la maladresse de M. Jouet ? –, ramenez-le donc !

Le cœur chaviré et l'esprit en bataille, M. Jouet prend une grande inspiration, et sans plus réfléchir, passe de l'autre côté.

Le voici dans un long couloir aux murs tapissés de soie écarlate, faiblement éclairé par des veilleuses à gaz. Et là-bas, tout au bout, une tache fauve dans la pénombre. M. Jouet se met en marche, de plus en plus oppressé. La maison semble absolument déserte, et pourtant elle résonne de rires et de musique. M. Jouet avance en s'efforçant d'ignorer la douleur qui lui broie la poitrine. Il doit garder son calme et rester concentré : il va rattraper ce maudit chien, le rendre à sa maîtresse, et ensuite, que M. d'Outrefaille soit ou non revenu, il rentrera chez lui. Il ira retrouver sa femme, sa chère, sa tendre Élise, et il oubliera cette soirée pour toujours. Cette pensée le réconforte ; il accélère le pas :

– Allez, viens maintenant, lance-t-il au chien. Ta maîtresse t'attend.

C'est alors qu'il découvre, à sa gauche, un large escalier s'élevant en colimaçon sur au moins deux étages. Le chien bondit sur les marches.

– Reviens ! l'implore-t-il.

L'animal le regarde en entrouvrant la gueule ; il se moque, c'est sûr. Il se met à grimper souplement l'escalier, pour bientôt disparaître au tournant du colimaçon.

M. Jouet est si bouleversé qu'il doit prendre appui sur la rampe pour ne pas tomber. Là-bas, dans le couloir, Mme Gauthier lui lance :

– Enfin, qu'attendez-vous pour monter le chercher ?

M. Jouet est au désespoir. Il n'y a pourtant là rien de bien terrible : gravir quelques marches pour attraper une bête, la belle affaire ! Il va y aller, trouver ce maudit cabot, et le faire redescendre *manu militari*. Pour sa peine, il s'autorisera même à lui mettre un coup de pied au derrière.

Mais à peine a-t-il levé les yeux qu'il se sent de nouveau assailli par le doute : la cage d'escalier est éclairée par de longues torchères dont la forme inédite n'est pas sans évoquer... Il plisse les yeux dans la pénombre... Seigneur, c'est bien cela ! Et la flamme jaillit tout au bout en sifflant, droite et vive comme un petit serpent.

Le long du mur, à mi-hauteur, court une frise où se mêlent de toutes les façons des nymphes échevelées et des satyres en rut. Le rouge au front, la tête en feu, M. Jouet en suit, marche après marche, le déroulé obscène ; et tandis qu'il gravit, sous les sifflements des serpents, ce grand escalier rouge tout encombré de culs et de membres dressés, il éprouve la sensation vertigineuse de *monter en enfer*.

Lorsqu'enfin, il arrive au palier, il est presque évanoui. Devant lui s'ouvre un long couloir – bien plus long que celui du rez-de-chaussée, c'est étrange. Toujours ces torchères – comment peut-on, mon Dieu, inventer des horreurs pareilles ? Et tous ces serpents qui le menacent ! C'est comme un cauchemar.

Le chien l'attend, sagement assis une dizaine de mètres plus loin. D'en bas lui parvient la voix de Mme Gauthier :

– Alors, cher Monsieur, l'avez-vous attrapé ?

– Je le vois, répond-il faiblement. Je le vois...

Et, courageusement, il se remet en marche.

La sueur dégoutte de son front, lui coule dans

le cou, dans le dos – il fait si chaud –, et son col de chemise soudain lui serre tant la gorge qu'il s'arrête un instant pour le déboutonner. Mais ses doigts sont si moites et ses mains si tremblantes qu'il en est incapable. Étouffant à demi, il continue d'avancer vers le chien. Il n'est plus qu'à quelques pas de lui. Déjà il s'apprête à le saisir par le collier, quand l'animal, poussant de la patte une porte, lui échappe, une fois encore.

M. Jouet s'arrête, incapable de faire un pas de plus. De la chambre lui parviennent des ahanements sans équivoque. Que faire, mon Dieu, que faire ? Il en est là de ses atermoiements lorsqu'une voix masculine s'écrie :

– Oh, bon sang, que c'est bon !

Cette voix, Seigneur, cette voix ! M. Jouet avance lentement vers la porte restée grande ouverte, et il demeure là, bras ballants, souffle court, horrifié, incrédule.

De la femme, il ne voit que les jambes levées, largement écartées. De l'homme dont le visage s'agite entre ses cuisses, il ne voit que le cul – un ample postérieur passablement velu, luisant comme une lune aux reflets de la lampe à pétrole.

Assis sur le tapis, le chien contemple la scène, l'œil incendié d'une lueur lubrique. Et le voilà soudain qui saute sur le lit, la langue frétillante, et se met à… à… non, ce n'est pas possible !!! Les yeux de M. Jouet s'agrandissent d'effroi.

À ce moment précis, l'homme relève la tête en laissant échapper un *ouiiiiiiiiiiii* tonitruant qui lève les derniers doutes sur son identité.

M. Jouet s'écroule, le torse traversé d'une douleur fulgurante. Les mains convulsivement pressées sur la poitrine, il étouffe sous un bec de gaz qui le nargue, crachant sa flamme obscène. Tournant la tête, il croit voir sa femme émerger en haut de l'escalier et courir vers lui, affolée. Il a le temps de crier : *Élise, sauve-moi !* avant de fermer les yeux.

La suite est très confuse : des bruits de pas, des cris, et même des sanglots. M. Jouet n'est pas sûr de comprendre. À vrai dire, cela n'a plus d'importance : il est déjà ailleurs, apaisé, et comme libéré. Calmement, il se laisse entraîner loin d'ici, au seuil d'un autre monde qu'il imagine déjà : un monde sans souffrance, sans misère ni violence. Un monde qui n'a plus besoin ni de Foi ni d'Espérance. Un monde où ne demeure plus que la Charité.

La dernière sensation qu'il emporte avec lui est celle de la caresse, sur sa main droite, d'une langue humide et tiède.

* * *

Malgré tous les efforts de M. d'Outrefaille, la rumeur divulgua dans quel mauvais lieu était mort M. Jouet. Son épouse ne tarda pas à l'apprendre, elle aussi. Au cimetière, quelques-uns ricanèrent de ses larmes ; mais la plupart en furent très émus.

Jacques Jouet

Fut bon époux, bon père et bon ami,
simple et juste.
Sa vie fut une suite de bonnes œuvres.

Il fut pleuré de tous ceux
qui le connaissaient quand on a appris sa mort,
et il le sera longtemps de tous :
de son épouse, de ses enfants et de ses amis.

Le juste espoir qu'ils ont de son éternel bonheur,
fondé sur sa charité envers les pauvres,
son zèle pour la religion et son amour pour Dieu
peut seul les consoler, en attendant le moment
de lui être réunis.

Cimetière du Père-Lachaise,
Paris, vers 1850

Les hortensias

La véranda est fraîche, avec une belle vue sur le jardin et les montagnes, violettes, à l'horizon. Elle est allongée sur une chaise longue en rotin, alanguie et inquiète, comme à son habitude. Les mains sur son ventre arrondi, elle prie – non, ce n'est pas une prière, plutôt une question : *Mon Dieu, me le laisserez-Vous, celui-là ?* Des heures qu'elle le répète en contemplant le massif d'hortensias, à l'ombre du grand mur, comme si elle s'efforçait d'y découvrir un signe lui portant la réponse. *Mon Dieu, me le laisserez-Vous ?* De toutes ses forces, elle espère. C'est sa septième grossesse, mais elle n'a pas d'enfant.

Lorsqu'ils viennent au monde, ils sont parfaits, de minuscules poupées ciselées dans l'ivoire, le crâne tendre, les traits polis, les mains fines aux longs doigts, aux ongles délicats.

Chaque fois, elle les contemple avidement, avec cette émotion qu'on a face aux chefs-d'œuvre. Et toujours la même question, obsédante et terrible : pourquoi Dieu les fait-Il si parfaits, si c'est pour chaque fois leur refuser la vie ?

Elle s'en doute bien, au fond, Dieu n'a rien à voir dans tout ça. C'est d'elle que vient le mal, du fond de ses entrailles, un fléau mystérieux dont elle ne comprend ni l'origine ni la monstrueuse mécanique. Mais le résultat est là : les enfants poussent en elle, un par an, sans faillir, depuis son mariage. Elle les sent bouger, vigoureux, coups de pied, coups de poing qui déforment son ventre et lui coupent le souffle, parfois. Elle en redemande, pourtant, de cette vie qui la bouscule, *continue, oh oui, continue, mon petit*, cette vie sous sa peau lui met les larmes aux yeux.

Et puis un jour, au septième mois – c'est toujours au septième mois que cela se passe –, elle sent dans son ventre l'enfant se contracter, comme s'il tressaillait de surprise, de souffrance ou de peur, comment savoir. Les douleurs commencent juste après, l'accouchement bien avant terme, douloureux, épuisant, mais pour rien.

Parfois, le bébé meurt très vite, au début du travail : il s'agite encore un peu, quelque temps, comme des spasmes, des soubresauts, et puis plus rien. D'autres fois, cela dure longtemps : elle le sent qui se tord avec vigueur à chaque contraction, comme s'il luttait contre un ennemi invisible, des heures durant.

Mais quoi qu'il se passe, c'est toujours la même chose, au bout du compte : lorsqu'ils viennent au monde, tous ses bébés sont morts, étrangement minuscules, mais si parfaits qu'elle en reste hébétée.

Pourquoi toutes ces grossesses interrompues ? À quoi bon ce travail obscur, patient, miraculeux ? Si c'est pour en arriver là, à quoi bon ? Où est la logique, la raison ? Personne ne sait lui donner de réponse, surtout pas les médecins qui l'ont examinée – des spécialistes, soi-disant, mais leur science n'a rien pu expliquer.

La première fois, elle s'est sentie comme foudroyée, assommée par le deuil en pleine euphorie de l'attente. On l'a entourée, consolée, *ce sont des choses qui arrivent, c'est bien triste, mais vous êtes jeune, bien portante, vous vous remettrez vite, vous verrez, et vous aurez d'autres enfants.* Elle y a cru. C'était un accident. Quelle raison aurait-elle eue de penser autrement ?

La deuxième fois, elle a refusé d'y croire – tant de malheur, ce n'était pas possible – et elle a gardé le petit contre elle, persuadée qu'il allait bientôt se mettre à respirer. Il a pourtant fallu se rendre à l'évidence.

Autour d'elle, on était révolté, mais on croyait encore en un hasard horrible, une cruelle malchance. On l'a entourée de nouveau, soutenue, avec les mêmes mots, *il faut garder espoir, vous êtes jeune, ce sera pour bientôt.*

La troisième fois, tout le monde est resté pétrifié. On ne pouvait plus accuser le hasard, il y avait un problème, c'était certain, un problème avec elle, dans son ventre, sûrement, quelque chose qui tuait les enfants. Ce n'est plus la compassion qu'elle voyait dans leurs yeux, mais l'inquiétude, une retenue méfiante. On a cessé de l'encourager ; on n'a plus osé lui parler de ses futures grossesses. Elle était devenue la bête étrange, vaguement dangereuse, dont les regards se détournent avec pudeur.

C'est à cette époque qu'elle a commencé à consulter, un grand professeur de Lyon, puis un autre, à Paris. Ils n'ont rien trouvé d'anormal, aucune explication. On lui a conseillé une vie saine, régulière, une cure à Vichy – allez savoir pourquoi –, et aussi d'éviter toute contrariété.

Mais elle avait déjà tout cela, une vie sans fatigue dans cette grande maison à la campagne, des gens pour la servir et un mari aimant, assez riche pour satisfaire ses moindres désirs. Qu'est-ce qu'elle pouvait espérer de plus, vraiment ? Qu'est-ce qu'elle pouvait faire ?

Puis trois autres enfants sont morts dans son ventre, toujours pareil, au septième mois. Chaque fois ce même silence résigné autour d'elle. Les gens n'étaient pas surpris, bien sûr, plus maintenant, seulement consternés, un peu las aussi, peut-être, de ce drame inlassablement répété, comme s'ils lui en voulaient de causer ce remue-ménage, et tout ce dérangement, beaucoup de bruit pour rien. Maintenant, elle a compris que personne n'attendait plus rien de ses grossesses. La layette est prête depuis des années, le berceau, les langes, les couches, tout. Mais on sait – et elle la première – que cela restera inutile. C'est comme ça, ou alors il faudrait un miracle.

Une femme sans enfant, voilà ce qu'elle sera ; on ne lui demandait pourtant pas grand-chose : être féconde, laisser faire la nature, ce n'est pas compliqué tout de même, et pourtant elle en est incapable, bonne à rien. Pas stérile, non, pire que ça : mauvaise mère qui donne la vie puis la reprend, conçoit ses petits puis les tue, presque au dernier moment. Certains jours, elle en mourrait de honte, mais la plupart du temps, c'est de chagrin.

Son mari l'aime encore, elle n'en doute pas ; il le lui prouve assez. Mais il est devenu triste, au fil des ans. La première fois, il était si heureux à l'idée d'avoir un enfant – et la deuxième aussi, qui devait venir réparer l'échec de la première. Maintenant, il n'ose plus se réjouir de la savoir enceinte. Il ne veut pas en parler, et feint même d'ignorer son état. Jamais une allusion à l'enfant à venir. Effacé le ventre arrondi. Il fait exactement comme si de rien n'était.

Malgré le désarroi que cela suscite en elle, elle comprend son mari. Après tant d'espoirs déçus, il ne veut plus espérer – c'est autant de gagné sur le chagrin.

D'une certaine façon, elle aimerait pouvoir faire comme lui, ignorer cette grossesse, ignorer cet enfant, ne rien attendre. Seulement, c'est en elle que ça se passe, et cela change tout; quand vous sentez la vie pousser en vous, vous ne pouvez pas vous empêcher d'y croire. Vous avez beau lutter contre l'espoir, il prend chair, il prend corps, il s'impose dans le ventre alourdi, on ne peut pas s'en défaire. Elle sent bien la distance que cela met entre eux, cet espoir qu'ils ne parviennent plus à partager, mais comment faire ?

Elle redoute qu'à force, il ne se lasse d'elle ; cette angoisse la mine autant que les deuils répétés. Si cela arrivait, comment lui en vouloir ? Une femme incapable de lui donner des enfants, seulement des cadavres. S'il se détournait d'elle, tout le monde le comprendrait.

Elle chasse cette pensée en frissonnant : à quoi bon se torturer, quand son mari ne lui donne aucune raison de douter de son amour, au contraire ? Lorsqu'il la rejoint pour la nuit, ils s'étreignent et s'unissent avec autant d'ardeur qu'au début de leur mariage, lorsqu'ils découvraient ensemble *ces choses-là*, un peu confus d'y trouver tant de joie – c'est bien sale, tout de même, quand on y pense, et bien beau en même temps.

Ils ont depuis longtemps renoncé à résoudre ce troublant paradoxe, mais ne se privent pas de goûter sans réserve au bonheur qu'il recèle. Ils ne disent pas *plaisir* – le mot leur semble osé, et pour tout dire vulgaire. Ils disent *bonheur* et *joie*, qui sont tout aussi vrais. Ils continuent de s'aimer, oui, bien s'aimer, vraiment. Voilà pourquoi elle a été enceinte si souvent.

Un jour, il lui a dit :

– Toutes ces grossesses, pour toi si épuisantes, et tous ces morts… Si tu ne voulais plus de moi dans ton lit, je le comprendrais, et le respecterais.

Elle l'a regardé, interloquée :

– Nous sommes mari et femme, nous nous aimons. Je veux que tu continues à me traiter comme ta femme.

Et il a paru soulagé.

Mais à présent, elle se demande s'il l'était vraiment. Peut-être qu'il n'attendait que ça, après tout, qu'elle lui dise *je ne veux plus de toi, c'est mieux ainsi, c'est bien plus raisonnable*. Peut-être préférerait-il ne plus avoir à coucher avec elle, pour ne plus concevoir d'enfants morts.

Mais non, bien sûr, elle se fait des idées, elle voit tout en noir. S'il était réticent, il ne se montrerait pas si ardent, chaque fois que… chaque fois qu'ils… Des images lui viennent, qui la font sourire malgré elle, et rougir – une honnête femme ne devrait pas avoir ce genre de pensées, surtout au beau milieu de l'après-midi. Elle se sent honteuse, et heureuse en même temps. Et elle voudrait, en cet instant, que son mari soit là, près d'elle, à lui prendre la main, à lui serrer le bras, à l'embrasser juste derrière l'oreille – tous les gestes qu'on fait comme des promesses.

Un jour, quelque temps après la mort de leur sixième enfant – une petite fille toute brune et d'une telle beauté qu'ils en ont été sidérés –, il lui a dit :

– Nous pouvons ne plus revivre ça, si nous le souhaitons, tu sais. Il existe des moyens... des moyens de ne pas être enceinte. Nous pourrions, si tu veux...

Elle a senti son cœur tomber dans sa poitrine, et n'a su que répondre, effarée :

– Mais enfin, on ne peut pas, tu sais bien. Dieu ne veut pas. Dieu ne veut pas.

Il a répondu :

– Tu as raison, ce n'est pas envisageable, à voix basse, le regard fuyant, n'en parlons plus.

Des moyens de ne pas tomber enceinte, elle sait que ça existe ; elle devine comment on pourrait s'y prendre, elle n'est pas idiote, évidemment, il y aurait des moyens, mais ce n'est pas possible. Bien sûr, il y a la loi de Dieu, mais elle sait bien, au fond, que ce n'est pas cela qui la retient. Ses raisons sont ailleurs : ne plus vouloir concevoir d'enfant, ce serait admettre qu'on a renoncé, qu'on a perdu espoir, totalement, pour toujours. Elle n'est pas prête à ça.

154

Secrètement, elle attend encore un miracle – oh, bien sûr, pas un enfant vivant, cela, elle n'y croit plus. Elle s'est habituée, à force, à les voir mourir l'un après l'autre. Elle a accepté cette macabre routine comme une fatalité, une malédiction attachée à son corps dont aucune prière, aucune médecine ne pourront la délivrer. Lorsqu'elle dit à Dieu *me le laisserez-Vous, celui-là ?*, lorsque, inlassablement, elle le répète, les deux mains sur le ventre, pas un instant elle n'espère qu'Il lui permettra de mettre au monde un enfant vivant. Elle n'en est plus là. Ce qu'elle espère de Lui, c'est un autre miracle.

Elle frissonne et se crispe, rabattant sur son ventre un des pans de son châle. Les perdre, ce n'est pas le pire. S'il n'y avait que cela, ce serait supportable. Le pire, c'est qu'ils meurent sans être baptisés.

Elle sait qu'étant morts sans baptême, ses enfants sont damnés, exilés dans les limbes, cet espace incertain à la lisière du ciel, éternellement privés de la lumière divine. Elle imagine un lieu gris de brume, lugubre, où les âmes des petits se pressent en gémissant. Cette vision la révolte, la torture et la tient sans relâche. Elle l'a dit au curé : *Mon père, comment est-ce possible ? Comment Dieu peut-Il infliger cette peine à de petits enfants qui n'ont pas eu le temps de commettre la moindre faute ?*

Le curé a secoué la tête, et lui a tout expliqué d'une voix douce et navrée : l'âme des enfants morts sans baptême n'ayant pas été lavée du péché originel, elle ne saurait entrer au paradis. Mais dans son infinie bonté, Dieu n'a pas voulu que ces âmes innocentes soient jetées en enfer ; il a créé un lieu qui leur soit réservé, quelque part dans le ciel, sans doute, mais loin du paradis. Dans ce séjour des limbes, les âmes restent privées de la lumière de Dieu, sans pour autant en éprouver le manque. Elles ne ressentent ni espoir ni souffrance. Elles ne ressentent rien. *Une damnation, certes, mais plus douce*, a dit M. le curé, croyant peut-être la réconforter.

Une damnation plus douce ! Le curé a beau dire, elle sait bien que cela n'est pas possible. Chaque fois qu'elle pense à ses enfants morts, elle les imagine flottant dans le désert des limbes, sans chaleur, sans espoir, âmes en peine dans un enfer tout blanc. Elle devine qu'ils souffrent, qu'ils ont peur et qu'ils crient. Cette idée l'obsède et l'accable, bien plus que la douleur de les avoir perdus.

Il suffirait d'un rien : un peu d'eau bénite avant qu'ils ne meurent, comme on le fait dans les accouchements difficiles – on les ondoie à la va-vite, sur un bras, sur un pied, sur la tête mal engagée, sur tout ce qui se présente du moment qu'ils sont encore vivants. Même le médecin peut le faire, même la sage-femme ou n'importe qui d'autre – l'Église l'autorise, en cas d'urgence –, et cela suffit à sauver l'enfant. Pas son corps, bien sûr, mais son âme – c'est le plus important. Et alors, il peut bien mourir, on sait qu'il vivra pour toujours au paradis.

Voilà le miracle qu'elle attend : mettre au monde un enfant qu'on ait pu baptiser avant sa mort. Un seul, est-ce trop demander ? Un seul à retrouver au ciel, cela lui suffirait. C'est à cet espoir qu'elle s'accroche, follement peut-être, les yeux fixés sur les lourdes fleurs d'hortensias agitées par le vent.

Ses enfants n'ont pas eu de funérailles. N'étant pas baptisés, ils n'avaient pas droit à la terre consacrée. Le premier, on ne savait pas où le mettre, c'était affreux. Pour finir, c'est elle qui a choisi un recoin ombragé du parc, pas trop loin de la maison. Là, elle a fait planter un hortensia – bleu, car c'était un garçon. Elle n'imaginait pas que l'année suivante il faudrait en planter un autre, puis un autre, puis un autre... six en tout – trois roses, trois bleus – qui forment à présent un massif énorme et mouvant. Elle ne pensait pas qu'ils grossiraient autant.

Elle aime ces hortensias. Elle passe des heures à regarder les fleurs frissonner sous le vent, à scruter leurs nuances, à tenter de se persuader que l'âme de ses enfants n'est pas dans ce lieu improbable et lugubre dont parle le curé, mais bien là, dans les fleurs frémissantes. Elle veut croire qu'ils ressentent la chaleur du soleil, la douceur de la brise, le baiser des insectes butinant les corolles.

Lorsqu'elle passe la main sur les fleurs, sans les froisser, elle veut croire qu'ils sentent sa caresse.

Elle aime ces hortensias, passionnément, mais de toutes ses forces elle souhaite ne plus avoir à en planter un seul. Cette fois-ci, elle veut un enfant au cimetière, un enfant enterré comme il faut, et pour qui s'ouvriront les portes du ciel. Elle est prête à tout pour cela.

Il y a deux ans, M. le curé lui a parlé d'un sanctuaire, Notre-Dame-de-Beaurevers, en Savoie, où l'on porte le corps des bébés morts sans baptême. Au pied d'une antique statue de la Vierge, on prie des heures durant pour que soit accordé un répit à l'âme de l'enfant. Et Dieu, parfois, consent à ressusciter le petit – oh, pas longtemps, quelques secondes seulement.

Il faut être attentif aux signes, qui peuvent être fugaces : une rougeur au visage, une paupière qui s'entrouvre, des gaz qui s'échappent, une narine qui coule – c'est assez pour penser que la vie est repassée un moment dans ce corps. Alors, vite, sans perdre un seul instant, on baptise l'enfant, avant qu'il ne retombe dans l'éternel sommeil. Et on en fait un ange que l'on envoie au paradis. Évidemment, cela n'arrive pas toujours, a dit M. le curé, mais enfin, les cas ont été nombreux au fil des ans, ce qui prouve bien la grande miséricorde du Très-Haut. Un ange au Ciel. C'est merveilleux, et tellement apaisant.

M. le curé a proposé de l'accompagner, si elle voulait, à la prochaine naissance, *dans le cas où cet affreux malheur se produirait à nouveau.* Cela faisait longtemps, à vrai dire, qu'il souhaitait lui en parler, mais il n'a pas osé. C'est un peu délicat, et puis il a bien remarqué que monsieur ne venait guère à la messe, et jamais à confesse.

Elle a rougi, et n'a rien répondu – c'est une question qu'elle ne veut pas aborder : elle soupçonne son époux de ne pas croire au ciel.

Il y croyait pourtant, au début de leur mariage, elle en est sûre. Parfois, même, il priait avec elle. Mais ça lui est passé avec les années et la mort des enfants. Maintenant, c'est fini, et même, parfois, il dit des choses qu'elle ne veut pas répéter, des choses laissant penser qu'il n'y croit plus du tout.

Lorsqu'elle a eu le courage, enfin, de lui parler du sanctuaire où les petits enfants ressuscitaient – on pouvait y être en deux jours, trois au plus, cela valait la peine d'essayer –, son mari est entré dans une rage folle. Lui si doux, si posé d'habitude, il n'était plus le même. Il a dit des horreurs sur l'Église, les curés, sur Dieu même, des blasphèmes dont elle tremble encore. Bien sûr, il ne le pensait pas, il s'est laissé emporter par le chagrin, bien sûr, mais tout de même, c'est un souvenir affreux.

Ensuite, il est venu lui demander pardon. Il pleurait, regrettait sa colère – il ne voulait pas la

159

blesser, elle avait déjà eu bien assez d'épreuves et de deuils.

– Mais, a-t-il ajouté d'une voix tremblante, je ne peux pas laisser ce curé te raconter de pareilles bêtises. Ces histoires de résurrection, ça ne tient pas debout, ma chérie, c'est de la pure superstition.

– Pourtant, ces signes ? Ces rougeurs et ces bruits, comment les expliquer ?

– Cela n'a rien à voir avec une quelconque résurrection. Ces rougeurs au visage, ces écoulements de sang, ces bruits intestinaux ne sont que des symptômes de… de décomposition.

– Oh, tais-toi ! a-t-elle hurlé en se mettant les mains sur les oreilles. Tais-toi !

Il l'a prise dans ses bras, et ils ont pleuré tous les deux, l'un contre l'autre, l'un soutenant l'autre, l'emportant en même temps dans son chagrin. À la fin, il a dit : *Je ne veux plus vivre ça.*

C'est peu de temps après qu'il lui a parlé des moyens d'éviter une grossesse.

Elle renverse la tête et elle ferme les yeux, rendue à la douleur de cette scène pénible. Elle est comme son mari : elle ne veut plus vivre ça ; pourtant, elle est prête à prendre le risque de le revivre encore, dans l'espoir d'un miracle : un enfant, un seul, qu'on ait pu baptiser, un ange qu'elle puisse retrouver, un jour, quand viendra l'heure. Elle le veut à toutes forces. Après, elle pourra renoncer.

Un bruit près d'elle la fait sursauter.

– Bonjour, Madame. Vous allez bien ?

C'est Rémi, un garçon du village qui vient l'après-midi s'occuper du jardin. Elle ne sait pas son âge, exactement, seize ans, dix-sept, de toute façon cela importe peu, car dans sa tête, Rémi n'a jamais eu plus de sept ou huit ans.

– Je vais bien, Rémi, merci.

Il sourit *je suis content, alors*, et remet sa casquette.

Rémi aime venir travailler ici. Au village, la vie n'est pas facile. Comme il est fort, on le fait trimer pire qu'une bête, dans la ferme de son oncle. Comme il est doux et ne dit jamais rien, on se défoule sur lui plus souvent qu'à son tour. Les coups pleuvent, les corrections – avec lui, on ne s'est jamais gêné. Même les enfants lui jettent des cailloux en le traitant d'idiot, et rient lorsque ça saigne.

Quand elle a appris le martyre de ce pauvre demeuré par l'une des domestiques, ça lui a fait trop mal. Elle s'est mis en tête de lui venir en aide, et elle a obtenu de son mari qu'il l'embauche comme jardinier. Depuis trois ans, Rémi vient tous les jours – le jardin n'en demande pas tant, mais elle y tient. Lorsqu'il n'a rien à faire, elle essaie de lui apprendre à lire, entreprise héroïque qui met sa patience à l'épreuve. Mais les progrès sont là : après trois ans d'efforts assidus, il connaît toutes ses lettres, et il sait déchiffrer quelques syllabes. Elle ne désespère pas d'en faire un vrai lecteur.

– Qu'est-ce qu'il y a comme travail aujourd'hui, Madame ?

– Va voir dans la serre, les boutures de géranium. Tu sais, celles qu'on a préparées le mois dernier…

Il ne se souvient pas – cela arrive souvent.

– Je crois qu'elles sont prêtes à être repiquées. Après, il faudra désherber le parterre de rosiers, à côté du bassin. C'est bon, tu as compris ?

– Oui, Madame.

– Si tu as un souci, ou si tu as oublié ce qu'il faut faire, n'hésite pas à revenir me poser la question.

– Non, non, pas de problème, dit Rémi en se tapant sur la tête. Il y en a là-dedans, vous savez !

Elle lui sourit.

– Bon alors, à tout à l'heure, Madame.

– À tout à l'heure, Rémi.

Il part en courant. Elle le sent si joyeux, si léger que son cœur se serre. Depuis trois ans, c'est lui qui plante les hortensias, après chaque naissance. Il en reste bouleversé durant des jours, et c'est terrible, ce grand gosse qui pleure comme un bébé. Plus jamais elle ne veut lui donner d'hortensia à planter.

Lorsqu'elle a annoncé à M. le curé que, finalement, elle avait renoncé à l'idée de ce voyage à Notre-Dame-de-Beaurevers, il n'a fait aucune remarque – il savait bien qu'elle n'y était pour rien. *Comme vous voudrez, ma fille, n'importe comment, je prierai pour vous et pour l'enfant.* Et c'est bien vrai qu'il a prié, le brave curé, le matin et le soir, la nuit aussi car, avec l'âge, il se voit assailli de longues insomnies. Et il a célébré des messes, spécialement pour elle, sans rien demander à personne, *gratis pro deo*, comme on dit.

Il a fait ce qu'il a pu, avec tous les moyens que lui donnait la foi. Mais cela n'a pas suffi, trois mois plus tard, à sauver la petite fille, toute brune et si belle, qui dort maintenant sous un gros hortensia.

M. le curé, ça l'a tourneboulé, à force, cette histoire, toutes ces âmes perdues pour le paradis. Et devoir refuser la terre de son cimetière pour enterrer les corps, ça ne l'amuse pas non plus. Tout ce chagrin, il aimerait bien y mettre fin.

Si seulement on pouvait baptiser l'enfant avant qu'il ne trépasse. Il suffirait d'un rien, un petit bout de chair vivante à asperger du bout des doigts, et il serait sauvé. Mais jamais jusqu'ici cela n'a été possible : les enfants meurent tous longtemps avant la délivrance, enfouis dans ses entrailles, hors d'atteinte.

Il y a deux mois, M. le curé s'est rendu à Lyon, à l'archevêché – un mystérieux voyage dont il n'a voulu révéler l'objet à personne. Il en est revenu tout joyeux, portant, dans un bel écrin de noyer garni de velours, l'instrument du salut.

On ne croirait pas, à le voir, c'est si étrange : une grosse seringue en métal avec un long embout légèrement incurvé. Quand M. le curé a soulevé le couvercle, elle était effarée. Elle ne voyait vraiment pas à quoi cela pouvait servir. *C'est une seringue à baptiser, ma fille, un instrument bien ingénieux, ma foi, qui permet d'ondoyer un enfant même s'il est hors d'atteinte.* Alors, elle a compris.

Ça l'a fait frémir, et rougir un peu, tout de même, de s'imaginer avec cette chose dans… enfin, c'était gênant, surtout qu'elle en parlait avec M. le curé. Mais lui manipulait la seringue d'un air ravi, suivant du doigt le long embout de métal : *Voyez, ma fille, on a même donné à l'orifice situé à l'extrémité la forme d'une croix !*

Avec d'infinies précautions, comme s'il tenait un objet sacré, il a replacé la seringue dans son coffret, a laissé durant quelques instants ses mains courir sur le velours couleur saphir, avant de refermer le couvercle. *Rendez-vous compte, grâce à cela, nous allons peut-être pouvoir sauver votre enfant !* Sa voix tremblait d'une émotion sincère, et il l'a serrée contre lui, comme un père.

Elle n'a pas eu trop de mal à convaincre son mari – cette seringue, c'était un tel espoir ! Mais lorsqu'on l'a informé du projet, le médecin ne l'a pas entendu de cette oreille – il est libre-penseur ; il fallait s'y attendre. Il est allé trouver M. le curé pour lui dire qu'il n'était pas question d'injecter *n'importe quoi* dans le corps de sa patiente.

– N'importe quoi, de l'eau bénite ?! s'est

étranglé le curé. De l'eau bénite qui pourrait sauver l'âme de l'enfant !

– Bénite ou pas, cette eau doit être infestée de microbes. Un vrai bouillon de culture !

– Microbes ? a fait le curé.

– N'avez-vous donc pas entendu parler des récents travaux de Monsieur Pasteur, mon père ?

Non, M. le curé ne savait rien de ce M. Pasteur. Alors, le médecin lui a expliqué que son eau bénite contenait de minuscules animaux invisibles à l'œil nu, capables de communiquer à l'homme toutes sortes de maladies – un fléau dont on découvrait seulement maintenant la puissance occulte et terrifiante.

Le curé est devenu tout rouge : qu'est-ce qu'on lui chantait avec ces animaux invisibles ? Il n'y avait pas d'animaux dans son eau ! Dans son eau, il n'y avait que de l'eau. *Et cette eau*, a-t-il ajouté, brandissant la seringue sous le nez du médecin, *est porteuse de vie, porteuse de salut !*

Le médecin a souri : le curé avait beau l'agacer avec ses fariboles, il était sensible à son désarroi, qu'il partageait, à sa façon, pour avoir mis au monde les six premiers enfants ; seulement, lui, se désespérait de la mort des corps, quand le curé ne songeait qu'au salut des âmes.

– Mon père, a-t-il dit d'une voix conciliante, le combat contre les germes est devenu le premier devoir de la médecine moderne. Je ne transigerai pas sur ce point. Trouvez-moi un moyen de rendre l'eau de votre bénitier stérile, et je veux bien reconsidérer la chose…

M. le curé ne s'est pas démonté : il s'était tellement démené qu'il n'allait pas renoncer si près du but. Il a écrit à l'archevêque qui, lui, connaissait les travaux de M. Pasteur. L'archevêque a donné son accord pour que soit mêlée à l'eau bénite une solution antiseptique.

Voilà, tout est arrangé : le docteur et le curé ont fini par se mettre d'accord. Le moment venu, il faudra prévenir M. le curé, qui portera au docteur la fameuse seringue, avec l'eau consacrée. Le docteur préparera le mélange aseptisé, et il l'injectera, si vraiment il n'y a plus rien à faire.

Et l'enfant sera un ange, si Dieu le veut. Mon ange – oh, ce serait merveilleux !

Elle s'est assoupie, sans doute, car lorsqu'elle rouvre les yeux, elle met quelques instants à comprendre où elle est. Puis tout lui revient d'un coup, son ventre lourd, cette attente, cette angoisse tenace à laquelle se mêle tant d'espérance.

L'air est dense, tout chargé de parfums d'herbe et de roses. Elle regarde les hortensias. Leur couleur a changé au fil des ans : les bleus se teintent de rose, et les roses de bleu, comme s'ils voulaient mélanger leurs couleurs, les fondre l'une dans l'autre.

C'est étrange et très beau. Rémi dit que c'est à cause de la terre – de sa nature soi-disant trop acide, ou pas assez, elle ne se souvient plus –, mais qu'est-ce qu'il en sait ? Elle sourit, ferme à demi les yeux, et doucement murmure : *Pourquoi les hortensias roses rêvent-ils au bleu ? Pourquoi les hortensias bleus rêvent-ils au rose ?*

Elle s'est inventé une réponse, et elle s'y est tenue : ses enfants ne restent pas inertes là-dessous. Ils dansent, font la ronde, jouent entre frères et sœurs. C'est ce ballet incessant qui brouille la couleur des fleurs et renouvelle sans cesse leurs nuances d'une floraison à l'autre. Voilà l'explication, la seule qui lui convienne, à cause de la chaleur qu'elle lui met dans le cœur, tandis que son regard se perd dans les fleurs.

Elle voit soudain le buisson s'agiter étrangement. Les fleurs tremblent, se chiffonnent, s'affaissent brusquement. Elle se lève, et crie :

– Rémi ! Rémi ! Les hortensias !

Rémi lève la tête de ses plates-bandes, court vers le massif qui paraît maintenant en proie à une tempête.

– Qu'est-ce qui se passe, Rémi ?

– C'est rien, Madame… C'est rien qu'un chien.

– Chasse-moi cette bête ! Il abîme mes fleurs ! Mes hortensias ! Oh, je t'en prie, chasse-le !

C'est à ce moment-là qu'elle sent la contraction, qui lui tord le ventre et la plie, l'obligeant presque à s'agenouiller, agrippée au montant de la véranda. Et en elle, ce tressaillement qu'elle connaît bien.

– Rémi, hurle-t-elle, Rémi !

Il se retourne et se met à courir vers elle.

– Rémi, c'est le moment ! Va chercher le docteur et Monsieur le curé. Va vite !

Il fait oui de la tête, affolé, et déjà sanglotant. Elle lui sourit.

– Tout va bien, Rémi, tout va bien. Fais seulement ce que je t'ai dit, aussi vite que tu peux. C'est important.

Il acquiesce de nouveau, et s'en va comme un fou, la casquette de travers, la chemise à moitié boutonnée.

Elle revient sur ses pas, se laisse tomber sur la chaise longue, le ventre traversé d'une nouvelle contraction. Déjà, les domestiques accourent, alertés par ses cris. Et comme à Rémi, elle leur dit *tout va bien, tout va bien, ne vous inquiétez pas.* Tandis qu'ils s'agitent autour d'elle pour la faire lever, la conduire dans sa chambre, la préparer, elle regarde au loin, la pelouse, le jardin, le massif d'hortensias dévasté.

Il en jaillit soudain comme un éclair jaune, qui passe en un instant à travers le jardin. Puis elle le voit bondir et filer sur la route, et sans savoir pourquoi, elle a la certitude qu'il court derrière Rémi.

Un ange au ciel
1880

Cimetière de Paladru,
Isère

Printemps

Il creuse sous le soleil. La terre est grasse, odorante. Il aspire avec force l'odeur de feuille et d'écorce qui s'en dégage à chaque pelletée. Parfois, il ferme les yeux pour mieux se pénétrer de ce parfum acide, quelques instants seulement, tout en poursuivant son effort.

Lorsqu'il rouvre les yeux, il les garde baissés, obstinément fixés sur la terre, scrutant ses nuances brunes – argile, humus, sable et poussière. Il devine tout ce qu'il a fallu de corps décomposés pour produire ce mélange lourd et fécond – ce miracle, quand on y pense.

Il se dit *je suis en train de faire ce que l'homme a toujours fait : creuser la terre, la retourner, un rapport intime qui dure depuis la nuit des temps. Elle se laisse travailler, elle nous nourrit, et puis un jour ou l'autre elle nous reprend. Et c'est grâce à cela que tout peut continuer, à l'infini.* Il essaie de

171

se concentrer sur cette idée qui l'apaise, tandis que la sueur ruisselle dans son dos.

Il est près de midi, et c'est presque fini. L'effort a été rude. Il a les mains en sang et son corps lui fait mal, mais il s'en réjouit, curieusement. Il est heureux de se sentir vivant.

À présent, il se tient au bord de la fosse, le soleil sur son corps nu. Il a froid. Il reprend son souffle et sourit en regardant le fond. Il se dit *c'est le printemps, pense à cela, au printemps.*

Quand enfin il relève la tête, son regard aussitôt se perd au loin, dans la plaine. Il ne veut rien voir d'autre, ni les hommes debout à ses côtés, résignés et transis, ni la masse gémissante des villageois qu'on presse de se déshabiller avant de les pousser sur le sentier en direction des fosses, ni les hommes en uniforme noir qui cognent en aboyant des ordres, ni les camions couverts de poussière garés sur le chemin, à l'orée de la forêt.

Quand les soldats, pour rire, tirent sur un chien errant qui détale en hurlant dans le sous-bois, il ne l'entend même pas. Il sourit au soleil de mars, au feuillage clair et tremblant des grands arbres tendus vers le ciel, à la terre où bientôt les germes surgiront en une explosion formidable. Contre la force obscure qui, bientôt, va les emporter tous, il sourit. C'est sa victoire, la seule qui soit possible.

Lorsque l'ordre est donné de descendre, et de se mettre à genoux tout au fond, il sourit.

Et il sourit encore, au moment où la balle lui traverse la nuque.

Entre 1939 et 1944, des *groupes d'intervention* nazis, souvent épaulés par des auxiliaires locaux, se livrèrent dans l'Ukraine occupée à des massacres de masse visant principalement les juifs.

Les victimes étaient généralement forcées de se déshabiller, conduites au bord d'une fosse qu'on les avait parfois obligées à creuser elles-mêmes, puis fusillées. On a donné à ces massacres le nom de *Shoah par balles*.

On estime à plus de deux mille le nombre de charniers en terre ukrainienne. Rien ne signale la plupart d'entre eux : ni monument, ni plaque commémorative, ni épitaphe.

Mon bébé

Elle a éteint la télévision, décroché le téléphone et fermé les volets. Elle ne veut rien du monde, aucun bruit, seulement elle et lui.

Elle écoute son souffle, chaotique, pose la main sur sa poitrine et dit *maman est là*. Tout ce qui compte à présent, c'est de le rassurer par des caresses et des murmures.

Elle se demande s'il sait qu'il va mourir. On sent cela, paraît-il, tout le monde le sent le moment venu; mais lui, est-ce qu'il comprend?

Assise à son chevet, elle tente de mesurer la catastrophe qui bientôt va s'abattre, mais ça n'est pas possible, c'est tellement impensable. Ce scandale la révolte et l'assomme, et la tient hébétée près du lit.

Il se met à gémir dans son sommeil, et un spasme, brièvement, le soulève. La couverture glisse, découvrant un flanc maigre. *Oh mon chéri, ton pauvre corps.* Elle le recouvre, le caresse. Il tressaille sous sa main – l'a-t-il sentie vraiment, ou bien est-ce un réflexe, la douleur qui travaille ses chairs ? *Maman est là.*

La nuit tombe derrière les volets clos. Elle ne pensait pas qu'il était si tard, déjà, elle est un peu perdue, depuis le temps qu'elle ne compte plus ni les heures ni les jours, ne mange plus, ne sort plus, ne dort plus. Elle ne veut pas le quitter : cela peut arriver d'un moment à l'autre, maintenant, le docteur l'a prévenue. Elle veut être là.

Elle grimpe sur le lit, s'allonge contre lui, en chien de fusil, et l'enlace avec précaution. Immobile, elle attend, parcourant du regard les cadres sur les murs : des photos de lui bébé, des photos de lui plus grand, et beaucoup de clichés où elle l'a dans les bras.

Tous ces moments de bonheur et de complicité, elle n'en revient toujours pas de les avoir vécus – la vie a souvent été si cruelle avec elle. Mais tout de même, pour finir, elle lui a fait ce cadeau, cet enfant merveilleux, tellement exceptionnel.

Quand elle l'emmenait au parc jouer avec les autres, elle a eu tout le loisir de comparer ; elle peut le dire : c'était lui le plus beau, le mieux élevé, le plus affectueux – cela ne fait aucun doute. Elle et lui. Cette perfection entre eux. Personne ne peut comprendre.

Sur l'oreiller, près d'elle, une peluche la nargue – faux sourire brodé sur la fourrure turquoise, insupportable joie d'objet stupide. Elle l'envoie valdinguer d'un revers de la main. Toutes ces choses, partout, désormais inutiles : ses vêtements, ses jouets, ses doudous, ces témoins d'un bonheur enfui, il faudra les ramasser un à un, les ranger – jamais elle n'aura le courage de les jeter. Et après ? Elle n'imagine pas. C'est au-dessus de ses forces.

C'est la nuit, maintenant, l'obscurité totale, le silence autour d'eux. Un frisson la parcourt. Elle se demande si l'autre est encore là, son copain du parc. Depuis deux jours, il passe et repasse devant la maison, en espérant sans doute qu'elle lui dise d'entrer. Mais elle ne le fera pas : elle lui trouve mauvais genre, et d'abord, on ne sait pas d'où il vient. Maintenant, il est si tard, il a dû se lasser d'attendre sur le trottoir. Il a dû s'en aller.

Le petit se cambre, soudain, et gémit du fond de son coma. Son corps reste crispé durant quelques secondes, puis il retombe inerte. Elle resserre son étreinte, sent son souffle ténu, et le cœur sous ses doigts, qui doucement ralentit. *Mon amour, n'aie pas peur : maman est près de toi*, murmure-t-elle épuisée, le nez contre son cou.

Elle va l'accompagner, jusqu'au bout, comme

elle doit. Il lui a donné tant d'amour, tant de joie. Un bonheur pareil, elle n'aurait jamais cru que c'était possible, après tous ces chagrins, toutes ces déceptions. *Mon amour, mon bébé.* Elle n'aura pas assez de sa vie entière pour s'en souvenir et chérir sa mémoire. C'est sur cette pensée que le sommeil la prend.

Elle rêve. C'est simple et doux, comme parfois dans les rêves. Ils nagent ensemble dans l'eau fraîche d'un lac. Ils sont si heureux qu'il n'y a rien à dire. Ils avancent au même rythme, exactement, et cela dure infiniment, comme une longue et tendre glissade.

La voilà qui sourit dans son sommeil, le bras passé autour de son amour, dont le souffle fragile s'affaiblit peu à peu.

Quand vers minuit il cesse de respirer, elle ne se réveille pas. Elle continue de nager avec lui sous le ciel étoilé. Et elle sait que bientôt, ils toucheront la rive.

Hector (1992-2005)

Hector adoré,

Tu es ce que j'eus de plus
beau dans ma vie.
Ton départ m'a broyée.
Amour Beauté,
Tu étais ma joie, ma force,
Ma sérénité.
La douleur de ton manque
est permanente.
Pour toujours,

Ta maman
Rebecca

Cimetière des chiens,
Asnières-sur-Seine

Les petits carnets

Ils sont là, autour d'elle. Dès qu'ils sont entrés, elle l'a senti, du fond de sa torpeur. Maintenant, elle les entend chuchoter. Elle ne comprend pas ce qu'ils disent : elle est trop loin, enfoncée dans sa nuit, si fatiguée.

S'ils sont là, ce n'est pas un hasard. Tous ensemble, c'est si rare. Ils ne seraient pas venus sans une bonne raison. S'ils sont là, sans doute, c'est la fin.

Elle a peine à le croire : elle n'a plus mal du tout. Ce doit être la morphine, son corps comme dissous au milieu des draps devenus soudain si doux, si doux alors que durant des semaines c'était une torture, ce frottement des draps sur sa peau. Les escarres. Un mal de chien. Elle n'avait vraiment pas besoin de ça.

Mais depuis quelques jours, la douleur est partie. C'est comme si elle n'avait plus de corps, déjà, rien en elle qui pèse ou qui souffre. Légère, enfin.

Ce n'est pas qu'elle ait peur, mais tout de même, elle ne pensait pas que cela viendrait si vite… On a beau savoir que c'est pour bientôt, au bout du compte, on n'est jamais prêt quand arrive le moment.

Elle se dit, résignée, *de toute façon, il est temps.* Entre ça et le reste, elle a assez souffert, et à la fin, ça n'est plus drôle du tout. Encore une chose à faire, un coup de fil à passer, et après, elle pourra s'en aller.

Ils chuchotent toujours, plus fort, lui semble-t-il, ou alors c'est elle qui remonte vers eux, lentement, doucement, de plus en plus consciente. C'est bien qu'ils soient venus. Combien sont-ils, déjà ? Quatre, cinq, six… Six ? Le chiffre lui paraît étrange, comme s'il était faux. Et pourtant, c'est bien ça. Six. Elle n'en voulait pas tant. Six en dix ans, pour elle, c'était trop, mais on est bien obligé de prendre ce qui vient.

Avec eux, elle a toujours fait ce qu'elle devait : elle a veillé à ce qu'ils soient bien soignés, bien éduqués, bien nourris, bien habillés. Tout bien, et toute seule, la plupart du temps. Henri ne s'intéressait pas aux enfants, trop occupé par ses affaires et ses maîtresses.

Elle le comprend, en un sens : cette maison pleine de gosses, jamais un instant de silence, et toujours un problème d'un côté ou de l'autre… C'est normal qu'il ait eu envie d'aller voir ailleurs. À sa place, elle aurait probablement fait la même chose.

Sans les enfants, peut-être qu'elle aurait pu le retenir – elle était séduisante, à l'époque, vraiment pas mal du tout, il n'y a qu'à regarder les photos. Peut-être que sans les enfants… Mais ils étaient toujours là, accrochés à ses basques, alors évidemment, c'était perdu d'avance.

Plus tard, elle a pu les mettre en pension. Ils ne rentraient pas souvent, et ça l'a bien débarrassée. Mais le mal était fait : Henri ne vivait déjà plus avec elle, plus vraiment, même s'ils s'arrangeaient pour sauvegarder les apparences. Il ne voulait pas divorcer, par principe ; elle ne voulait pas non plus, par amour.

Jusqu'au bout, elle a eu l'espoir qu'un jour, peut-être, il lui reviendrait. Mais non. Il est mort chez une autre, une nuit, d'une crise cardiaque. C'est un ami médecin qui est venu constater le décès. Après, il s'est arrangé pour qu'on ramène Henri à la maison, discrètement, et on a fait ce qu'il fallait pour la déclaration.

Elle a raconté aux enfants que leur père était mort dans ses bras ; ils l'ont crue, ou ils ont fait semblant.

Il était très bel homme ; elle était folle de lui, les premières années. Après, elle a bien été obligée de moins l'aimer, sinon elle aurait trop souffert. Elle s'est durcie pour résister, et son cœur, à force, s'est racorni. Elle l'a senti devenir de plus en plus sec, comme un grelot noirci dans sa poitrine, un noyau confit de chagrin. Elle aurait préféré que ça n'arrive pas, mais c'est la vie, on ne choisit pas toujours.

Elle n'a pas aimé ses enfants comme il aurait fallu – sauf Jean-Christophe, le dernier, qui a toujours été son préféré. Ses enfants l'ont déçue – les garçons trop ternes et les filles pas assez jolies, alors qu'elle-même… Surtout, elle leur en voulait d'avoir gâché sa vie. C'est injuste, elle le sait : ce n'est pas leur faute s'ils sont arrivés si nombreux, et si rapprochés. Bien sûr que c'est injuste, mais qu'est-ce que ça change ? Ils étaient là, lui ont pourri la vie, ont fait fuir son mari, alors, c'est bien normal qu'elle leur en ait voulu.

Elle se sent coupable, pourtant. Elle aurait dû les aimer davantage, mais elle a des excuses – ils étaient si difficiles, si *tuants*, à toujours quémander son attention, son affection. Plus elle leur en donnait, plus il leur en fallait, c'était sans fin. D'autres fois, au contraire, ils se liguaient contre elle, ils faisaient bloc. Ils inventaient tout ce qu'ils pouvaient pour la contrarier. Seule contre tous, elle croyait devenir folle.

Lorsqu'ils sont parvenus à l'âge adulte, rien n'a changé – le pli était pris, en quelque sorte. Elle a continué à distribuer son amour avec parcimonie (sauf avec Jean-Christophe), à se montrer cinglante, souvent cruelle (même avec Jean-Christophe). Ils l'ont toujours tellement agacée.

Ils n'ont pas changé, eux non plus : à cinquante

ans passés, ils sont encore des gosses en mal d'affection qui de temps en temps se révoltent, et ruent dans les brancards. Ils la craignent et lui restent attachés, malgré tout, inexplicablement.

Elle n'a pas été facile avec eux, ces derniers mois. Elle n'en pouvait plus de leur sollicitude et de leurs jérémiades – ces têtes de cent pieds de long lorsqu'ils venaient la voir, à croire qu'elle était déjà morte !
Elle n'a pas voulu qu'ils s'occupent d'elle : leur montrer son corps ravagé alors qu'il était si beau, autrefois, ce n'était pas possible. Se faire toucher par ses filles, comme ça, de façon si intime, se faire torcher les fesses, elle ne l'aurait pas supporté. L'infirmière, c'est bien mieux, neutre et professionnel. Et Samira pour lui tenir compagnie, la faire rire – elle sait s'y prendre. Depuis le début, Samira a compris qu'elle a besoin de gaieté, de sourires dans cette épreuve, pas de têtes d'enterrement.

Ils sont là. Elle croit reconnaître les voix. Philippe. Martine. Michel. Elle sent leur odeur, les parfums familiers. Geneviève. Françoise. Elle en oublie un. Lequel est-ce ? Lequel est-ce ? Elle ne peut pas bouger, ni même ouvrir les yeux. Ce n'est pas grave. Elle est bien. *Mes chéris, je vous aime, si vous saviez. Je vous aime bien plus que je ne pensais. Tout ce temps perdu entre nous, comme je regrette, si vous saviez.*

187

Elle a eu l'occasion de beaucoup réfléchir, récemment. C'est l'avantage avec le cancer : on a le temps de voir venir sa mort de loin, de dresser un bilan minutieux de sa vie, et de tout mettre en ordre avant le grand départ – ses affaires, la succession, tout. Elle se sent apaisée, comme quelqu'un qui a fait son travail. C'est bien. Il n'y a plus que ce coup de fil à passer. Les enfants seront contents.

Quand Jean-Christophe est né, elle l'a tout de suite aimé à la folie – et pourtant, Dieu sait qu'elle n'en voulait pas, de cet enfant ! Le coup de foudre immédiat. Henri avait une maîtresse, une blonde qui laissait des cheveux sur le revers de ses costumes sombres ; il fallait bien se raccrocher à quelque chose, un autre amour – c'était ça ou mourir.

Jean-Christophe était adorable – pas comme les autres, qui ont toujours été si ternes –, mignon, drôle, doué pour tout. Après, en grandissant, il s'est mis à faire des bêtises. Ce qu'il a pu lui en faire voir ! Les autres étaient plutôt disciplinés, mais Jean-Christophe... Il n'en faisait qu'à sa tête, c'est bien simple, il était renvoyé de tous les établissements. Et ensuite, quand il s'est lancé dans la vie, sans diplôme, eh bien, il n'a pas si mal réussi. Il est doué en affaires, il a de l'or dans les doigts – une chance pour lui, car il a beau gagner énormément d'argent, il lui en manque toujours, un vrai panier percé. Si elle n'avait pas été là pour éponger ses dettes, Dieu sait où il en serait aujourd'hui.

Une fois, il est venu la supplier – combien voulait-il déjà ? Cent mille francs ? Deux cent mille francs ? Ou alors, c'étaient des euros ? Elle ne sait plus. De toute façon, le notaire s'est chargé de tout vérifier. Elle s'en souvient comme si c'était hier – il était dans un tel état, le pauvre chéri ! *Maman, si j'avais le choix, je te promets que je ferais autrement, mais là, c'est vraiment une question de vie ou de mort !*

Heureusement, elle garde toujours de quoi voir venir, chez elle, dans le coffre. Elle lui a donné les sous qu'il réclamait – quoi qu'il ait fait, elle ne pouvait tout de même pas le laisser dans ce pétrin. Il s'est confondu en remerciements : il rendrait tout sous peu, promis juré, c'était la dernière fois, plus jamais il ne reviendrait demander de l'argent. Mais bien sûr, il est revenu, souvent. Et il n'a jamais rien rendu.

Elle n'aurait peut-être pas dû lui remettre de telles sommes, comme ça, sans le dire aux autres, mais si ça pouvait le tirer d'embarras… C'est un mauvais garçon, c'est sûr, un voyou, mais un voyou avec un charme fou. Elle n'a jamais rien su lui refuser. Il ressemble trop à son père.

N'empêche, tout cet argent qu'elle lui a donné en douce, ça n'est pas juste pour les autres. Il faut être juste, c'est la moindre des choses. Elle l'a dit au notaire :

– Pour mon héritage, je veux partager entre mes six enfants de façon équitable, sans avantager qui que ce soit.

– Mais vous venez de me dire que vous avez déjà distribué à l'un d'entre eux des sommes importantes sans en avertir les autres. C'est bien ça ?

– Oui, à mon fils Jean-Christophe – il a toujours été mon préféré, vous comprenez… Mais maintenant, je veux que tout ce que j'ai déjà donné soit pris en compte, pour le partage.

– Très bien, a dit le notaire en hochant la tête. Êtes-vous en mesure de me dire combien vous avez versé à votre fils ?

Elle a fait *pffffff* avec un geste évasif de la main :

– Vous savez, Maître, la première fois, c'était il y a près de trente ans. Et du liquide, en plus. Alors vous dire la somme, comme ça, vous pensez bien…

Le notaire a paru contrarié :

– Si vous ne vous souvenez plus du montant des dons effectués et que vous n'en avez conservé aucune trace, je crains fort que nous ne puissions…

– Ah, Maître, pour qui me prenez-vous ? J'ai tout noté, vous pensez bien !

– C'est que, vous venez tout juste de me dire que vous ne saviez plus…

– J'ai dit que je n'étais pas capable de vous préciser à brûle-pourpoint combien j'avais donné. Si longtemps après, c'est bien normal, n'est-ce pas ? Mais je ne suis pas gaga, vous savez. En cherchant dans mes petits carnets, je dois pouvoir retrouver la date et le montant de chaque versement.

Le notaire était assez impressionné qu'elle se soit aussi bien organisée. Elle l'a vu à son air – l'air de celui qui commence à comprendre à qui il a affaire. Elle n'était pas peu fière.

Depuis toujours, elle note tout ce qui compte : les événements marquants de la vie familiale, l'argent qu'elle distribue, les cadeaux qu'elle fait, tout ça. Au début, elle ne ressentait pas vraiment le besoin de noter. Elle le faisait plutôt par discipline, comme on tient un livre de bord. Mais depuis qu'elle se sent vieillir, elle note pour ne pas oublier. La mémoire, on sait ce que c'est : ça va, ça vient, ça bat la campagne, et puis un beau jour, ça s'en va pour de bon et il n'y a plus personne. Elle ne se fera pas avoir, ça non, elle a prévu le coup : grâce à ses petits carnets, elle ne sera jamais une vieille perdue dans des souvenirs emmêlés, à moitié effacés. Tout restera avec elle – dates, chiffres, événements. Elle ne laissera rien passer.

Le notaire lui a dit :
– Puisque vous avez tout consigné dans des carnets, le mieux est que vous me les apportiez pour

191

que je procède au relevé des sommes et des biens déjà distribués. Après cela, nous y verrons plus clair pour la rédaction de votre testament.

– Oh là là, Maître, mais c'est qu'il y en a au moins une quarantaine, depuis le temps, avec beaucoup de détails sur la famille, alors vous comprenez, ça me gêne un peu de vous confier tout ça.

Il a souri :

– Je comprends vos réticences, Madame, et je les respecte. Sachez seulement qu'un notaire, tout comme un médecin ou un confesseur, est tenu au secret absolu. C'est le moins qu'on puisse attendre d'un professionnel que sa charge conduit à pénétrer l'intimité des familles. Mais je ne veux bien sûr vous obliger à rien : si vous souhaitez procéder vous-même à la relecture de vos carnets, et me communiquer les relevés, cela ne pose pas le moindre problème. Seulement, c'est un travail très fastidieux, et compte tenu de votre degré de... de fatigue, je crains que cela ne vous soit pénible.

Elle a haussé les épaules :

– Vous savez, Maître, en dehors de ma chimio, je n'ai que ça à faire.

Le notaire avait raison : elle s'est vite rendu compte qu'elle n'y arriverait pas. Elle avait beaucoup de mal à tourner les pages, à cause de son arthrite, beaucoup de mal à se relire, et avec ce traitement qui l'épuisait... Surtout, il y avait trop de souvenirs, là-dedans, des choses qu'elle aurait parfois préféré oublier. Alors, pour finir, elle a apporté ses carnets chez le notaire :

– Maître, je vous laisse vous débrouiller avec ça. J'ai tout noté là-dedans ; il n'y a plus qu'à chercher, maintenant, je vous fais confiance. Je veux être juste. Être juste, c'est tout ce qui m'importe.

Mᵉ Échel a bien travaillé. Lorsqu'il est venu chez elle pour faire le bilan quelques semaines plus tard – le traitement la fatiguait trop pour qu'elle puisse se déplacer à l'étude –, il lui a rapporté les carnets, avec des documents imprimés : de longues colonnes juxtaposées, avec les noms de ses enfants, des sommes, des listes d'objets. Il avait tout imprimé en gros caractères pour qu'elle n'ait pas de mal à lire – il est vraiment prévenant et consciencieux. Ensemble, ils ont repris point par point chaque liste, un travail très utile, on peut le dire : il y avait des tas de choses qu'elle avait oubliées.

Jean-Christophe n'est pas le seul à qui elle ait donné de l'argent. Martine aussi lui en a réclamé, il y a plus de dix ans, pour aider son mari à monter son affaire. Quand Mᵉ Échel le lui a fait remarquer, elle est tombée des nues – c'est fou ce que la mémoire peut vous jouer des tours, mais enfin, on ne peut pas toujours penser à tout, n'est-ce pas ?

Il paraît qu'elle a aussi donné de l'argent aux enfants de Michel, les jumeaux, lorsqu'ils ont ouvert ensemble leur cabinet. Les jumeaux.

Comment s'appellent-ils, déjà ? C'est en *ien*,
Bastien et Adrien ? Bastien et Aurélien ? Elle ne
sait plus, tant pis, de toute façon, elle ne les a
jamais aimés, trop bien élevés, avec des têtes de
faux culs – elle ne devrait pas en parler comme
ça, mais bon... Dans le carnet, elle a écrit *avance
sur héritage*. Heureusement qu'elle a pensé à tout
marquer.

Le notaire lui a dit :

– Certains membres de votre famille ont su
profiter très amplement de vos largesses, en
dehors de toute donation officielle... Mais nous
allons pouvoir rétablir l'équilibre.

– J'ai confiance en vous, Maître. Je sais que vous
ferez tout bien.

Il a souri, en tapotant l'un de ses petits carnets.

– C'est vous qui avez très bien fait, Madame,
avec vos écritures. Croyez-moi, vous nous avez
grandement facilité les choses !

– Ah, tant mieux !

– Cela dit, si vous souhaitez être parfaitement
équitable, il faudrait procéder à l'expertise des
objets que vous avez déjà distribués.

– Oh, vous savez, je n'ai presque rien donné !

– Tout de même, a dit le notaire en consultant
les listes, quelques très beaux meubles.

– Ils m'encombraient.

– Et aussi des bijoux.

– Trois fois rien. Des bricoles que me réclamait
ma petite-fille Delphine, la dernière de Michel

– une fille très brillante, et vraiment ravissante, mon portrait au même âge, il faudra que je vous montre des photos.

– Je note que vous avez mentionné, entre autres, une broche en diamants.

– Tout petits, les diamants. Taille ancienne. Ça ne vaut pas grand-chose.

Le notaire est resté un moment silencieux, puis il a ajouté d'une voix douce :

– Soyez bien sûre que je ne cherche pas à vous ennuyer. Mais si vous tenez à ce qu'aucun de vos héritiers n'ait le sentiment d'avoir été floué, je crois très sincèrement qu'il serait préférable, pour la paix de votre famille, de procéder à l'estimation des objets que vos enfants vous ont déjà... que vous avez déjà donnés à vos enfants ou petits-enfants. Votre désir d'équité sera ainsi parfaitement respecté.

– Si vous pensez que c'est nécessaire...

– Ne vous tracassez pas avec ça. Cela peut attendre le moment où l'on réglera la succession.

– Très bien, très bien. Je veux que tout le monde soit content.

Le notaire a hoché la tête avec gravité, et s'est raclé la gorge :

– Cela dit, je dois vous avertir : en étudiant vos carnets, j'ai noté que vous aviez promis certains objets à plusieurs personnes.

– Ah... J'ai fait ça ?

– Je crains que oui. Regardez.

Il lui a montré les passages soigneusement recopiés, avec les dates : le vase d'Urbino promis à Françoise en 85, et également promis à Michel en 2000 ; une pendulette en argent réservée à Martine, finalement donnée à Geneviève ; le service en vermeil destiné à Françoise, offert à Philippe à Noël 2010. (Philippe s'en fiche complètement, en vérité ; c'est plutôt Évelyne, sa femme, qui était intéressée.)

– C'est bien ennuyeux, a-t-elle fait, consternée.

– Vos enfants ne se sont rendu compte de rien ?

– Comment voulez-vous, Maître ? Ils ne sont pas au courant de ce que j'ai promis aux uns et aux autres. Et j'ai tellement de choses, dans des coffres et dans des garde-meubles ! Quand j'en distribue une ou deux, personne ne s'en aperçoit. Le service en vermeil, de toute façon, je ne m'en servais jamais ; cela faisait cinquante ans qu'il n'était pas sorti de son écrin. C'est pareil, pour la pendulette : je l'avais dans un coffret, rangé je ne sais plus où... Alors, vous pensez bien que mes enfants ignorent complètement ce que j'ai déjà donné et ce que j'ai encore.

– Ils pourraient chercher à savoir...

– Oh, je ne dis pas qu'ils ne seraient pas tentés, parfois, de fouiller mes placards pour en faire l'inventaire. Je suis même sûre qu'ils en crèvent d'envie, à vrai dire. Mais il se trouve que tout est sous clé : ce n'est pas demain qu'ils pourront aller mettre le nez dans mes affaires ! Chaque fois que l'un d'entre eux s'aventure à me questionner là-dessus, je l'envoie sur les roses. Ils ont peur de moi, voyez-vous, alors quand je prends un ton autoritaire, ils n'osent plus y revenir.

– Je veux bien le croire, a répondu le notaire dans un demi-sourire.

– Cela dit, Maître, je suis très contrariée d'avoir fait des bêtises. Je ne voudrais pas que cela fasse des disputes…

– Ne vous tourmentez pas. Je réglerai cela calmement avec vos héritiers en temps utile. En attendant, voici la liste des objets et bijoux que vous avez promis aux uns et aux autres, et qu'à ma connaissance vous n'avez pas encore distribués. À moins qu'il n'y ait eu des changements, depuis…

– Non non, Maître, je l'aurais noté, c'est sûr.

– Bien. Je vais maintenant vous expliquer comment nous allons procéder : un expert va venir chez vous estimer l'ensemble de vos biens mobiliers. Il faudra aussi lui donner accès aux coffres et aux garde-meubles. Je m'occuperai de mon côté de vos biens immobiliers, des actions et des comptes bancaires. Une fois que tout aura été estimé, vous pourrez décider en connaissance de cause de la répartition entre vos héritiers. Il serait peut-être bon de consulter vos enfants et petits-enfants pour savoir ce qui leur ferait plaisir… Quand vous serez décidée, nous procéderons à la rédaction de votre testament.

– Ah… bien, bien.

– Mais peut-être ne vous sentez-vous pas la force... Tout cela est souvent très fastidieux. Le testament n'a rien d'obligatoire, après tout. Si vous préférez, vous pouvez laisser à vos enfants le soin de se répartir vos biens, le moment venu.

– Non, non, je tiens à m'en occuper moi-même.

– Compte tenu de la... configuration de votre famille, cela me semble une sage décision.

– Vous savez, Maître, j'ai très bien réagi au traitement. Les médecins disent que je peux encore tenir des mois, peut-être même des années. Ça m'occupera en attendant.

Elle n'a pas tout de suite dit à Samira qu'elle était malade. Elle ne savait pas comment s'y prendre – elle n'aime pas parler d'elle, et Samira a bien assez de problèmes. Mais Samira n'est pas idiote : elle s'est doutée, et il a fallu avouer.

Lorsqu'elle a entendu le mot *cancer*, Samira a fondu en larmes, on ne pouvait plus l'arrêter. C'était étrange, et très gênant, cette femme si courageuse et si gaie, qui se mettait à pleurer comme ça, au milieu de la cuisine.

– Ah, Samira, vous n'allez pas vous y mettre, vous aussi !

Elle n'a jamais été très à l'aise avec les sentiments, et quand ils débordent, encore moins. Alors, elle s'est mise à la houspiller : des larmes, c'était complètement ridicule, elle n'avait pas besoin de ça, franchement, et pour les jérémiades, elle avait déjà ses enfants. Samira disait *pardon Madame*, *pardon Madame*, mais elle n'arrêtait pas.

– Samira, s'il vous plaît – là, sa voix a tremblé, parce que toutes ces larmes, mine de rien, ça la touchait –, je voudrais que vous arrêtiez de pleurer et que l'on continue comme si de rien n'était, vous voyez ce que je veux dire ? Comme avant, notre petit café à quatre heures dans la cuisine, et vous me raconterez vos histoires, ça me fera plaisir. Est-ce qu'on peut faire comme ça ?

Samira a hoché la tête en s'essuyant les yeux :

– Oui, Madame, on peut.

Le lendemain, elle lui a apporté un pendentif – une main en argent :

– C'est la *khamsa*, Madame, la main de Fatma ; c'est bénéfique. Il faut la porter sur vous.

– Ah là là, Samira, j'ai déjà bien assez de breloques autour du cou ! Je ne vais tout de même pas en ajouter une autre.

– Il faut la porter, Madame. Ça craint rien, je vous assure ; c'est le même Dieu que *le vôtre*.

– Je vais vous dire, Samira : Dieu – le nôtre, le vôtre, n'importe lequel –, eh bien, je n'y crois plus depuis longtemps.

Samira l'a regardée, outrée :

– Il faut y croire, Madame, surtout... surtout avec ce que vous avez maintenant, a-t-elle ajouté à mi-voix.

Elle n'a pas eu envie de la décevoir – après

tout, qu'est-ce qu'elle avait à perdre ? Elle a laissé Samira lui mettre le pendentif autour du cou. Depuis, elle ne l'a plus quitté.

L'expert est venu à l'automne dernier. Quand il a vu le salon, il a dit : *Madame, vous avez des trésors !* Il est resté deux jours – il y avait tant à faire. Il a répertorié des centaines, des milliers d'objets : les meubles signés, les tapis, les tableaux, les gravures, les estampes, les livres anciens, les vases chinois, les vases de Sèvres, le grand vase d'Urbino, les coupes de Daum et de Gallé, les statuettes en jade, en ivoire, en ébène, la collection de montres anciennes, l'argenterie, les fourrures, les bijoux…

Il a fallu vider les placards et photographier chaque objet, puis tout remettre en place. Samira a prêté main-forte : juchée sur un tabouret, elle passait les pièces à l'expert, muette et concentrée, tremblant de laisser échapper quelque chose.

– Ne vous en faites pas, Samira, lui a-t-elle lancé. Même si vous cassez deux ou trois bibelots, il en restera toujours assez !

En vérité, elle s'en voulait d'imposer à sa femme de ménage ce surcroît de travail, et l'étalage de toutes ses richesses.

Le soir du deuxième jour, quand l'inventaire a été terminé, elle est venue trouver Samira pour s'excuser du dérangement.

– Oh, Madame, c'est rien. C'était tellement

beau, toutes ces choses. Je savais pas que vous en aviez autant. Pourquoi vous ne vous en servez pas, puisque vous les avez ?

– Parce que ça ne sert à rien.

Samira a ri :

– C'est pas faux, mais tout de même, c'est bien beau !

Après le départ de Samira, elle s'est mise à déambuler d'une pièce à l'autre en scrutant les vitrines, les bibliothèques surchargées de volumes et de bibelots précieux, les murs couverts de cadres, comme dans un musée. Là, dans la lumière grise de cette soirée d'automne, elle a soudain senti le poids des milliers d'objets entassés autour d'elle, aussi lourds que la solitude dont elle avait souffert toute sa vie. Et elle s'est demandé s'il n'y avait pas un lien. C'était absurde, sans doute, et pourtant, elle le sentait confusément, il y avait un rapport.

Elle a passé son existence dans cette maison cossue pleine d'objets hors de prix qui ne servent à rien, surtout pas à la rendre heureuse. Année après année, elle s'est enchaînée à ce décor doré, sa prison de femme esseulée, de mère insatisfaite, de veuve riche et blasée. Jamais elle n'a envisagé de s'en échapper. Parce que c'est beau, malgré tout, et tellement enviable, cette opulence, tellement sécurisant. Seule dans son musée, ce soir-là, elle a compris d'un coup qu'elle était restée prisonnière de sa richesse, n'ayant jamais imaginé pouvoir vivre autrement. Ailleurs. Plus simplement. Plus librement.

La richesse, Samira n'a jamais eu ce problème. Rien qui la retienne et l'empêche de prendre les bonnes décisions. Elle s'est mariée trop jeune, pour de mauvaises raisons – elle était enceinte, alors il fallait bien se marier, sinon tout le monde l'aurait traitée de pute, ça n'était pas possible. Mais ça n'a jamais vraiment marché avec son mari : il n'était pas prêt pour le mariage, et même en dehors de ça, ce n'était pas un homme bien.

Lorsqu'elle en a eu assez d'avaler des couleuvres et de recevoir des gifles, Samira a pris son gosse sous le bras, et ses cliques et ses claques. La famille a très mal réagi – ça ne se fait pas, chez eux, de quitter son mari. Ils n'ont pas voulu l'accueillir ; elle a dû se débrouiller comme elle pouvait, avec le petit qui n'avait pas deux ans. Maintenant encore, ses parents ne veulent pas la recevoir, à cause du divorce. Elle voit ses sœurs, et sa mère, de temps en temps, en cachette. Mais son père lui a dit *je ne veux plus te voir, pour moi, c'est comme si tu étais morte.* C'est très dur pour elle, pour le petit aussi.

Chaque jour à sept heures trente, Samira dépose son enfant à la garderie de l'école. De huit à neuf, elle fait le ménage dans un cabinet médical du centre ville. À dix heures, elle retourne à l'école de son fils où elle est dame de service à la cantine. Elle aime beaucoup ce travail qui lui permet d'apercevoir son petit pendant qu'elle trimbale les brocs d'eau ou les plats de raviolis sur son chariot.

À quatorze heures trente, elle vient ici pour faire un peu de ménage, quelques courses, et la conversation – surtout la conversation ces derniers temps, tant pis pour la poussière, autant s'habituer, *tu es poussière, tu retourneras en poussière*, c'est pour bientôt.

Samira repart à dix-huit heures pour aller chercher son fils à la garderie. Une drôle d'existence, pas facile, à tirer sans arrêt le diable par la queue. Et pourtant, Samira ne se plaint pas. Elle dit qu'elle est heureuse, que son fils est le plus beau et qu'un jour, peut-être, elle refera sa vie.

Samira est pauvre, libre et courageuse. Samira est tout ce qu'elle-même n'a jamais été. Samira a su faire les bons choix, alors qu'elle… Mais il est bien trop tard pour nourrir des regrets. Maintenant, tout ce qui lui importe, c'est de réussir sa sortie.

Elle comptait appeler les enfants, pour savoir ce qu'ils voulaient, mais finalement, non. Elle a préféré décider elle-même, c'est plus drôle. Elle a envoyé Samira lui acheter des post-it de toutes les couleurs. Elle en a mis partout, sur les meubles, les vases, les tableaux. C'était étrange et gai, cette maison toute pleine de couleurs : bleu pour Philippe, vert pour Michel, rouge pour Jean-Christophe, rose pour Geneviève, orange pour Martine, jaune pour Françoise. Elle passait son temps à changer les post-it de place. Ce qu'elle a pu s'amuser !

Elle avait promis de partager les bijoux entre Martine et Françoise – Geneviève, les bijoux, ça ne l'a jamais vraiment intéressée. Mais elle a changé d'avis. Elle ne veut pas laisser les bijoux à ses filles : ses filles ne sont pas fines ; elles ont de grosses jointures – gros doigts et gros poignets (elles ont pris ça du côté de son mari : sa belle-mère aussi avait de grosses jointures, des mains affreuses). Les bagues ne leur iraient pas, les bracelets non plus. Et puis, de toute façon, Martine et Françoise ont déjà des bijoux en pagaille, des bagues imposantes, des bracelets avec des médailles gravées au nom de leurs enfants, et ça fait *bling bling bling* à chaque mouvement, inutile d'en rajouter.

Elle aurait pu donner ses bijoux à Évelyne, la femme de Philippe. C'est la seule de ses belles-filles qu'elle apprécie vraiment… enfin, qu'elle appréciait. Du tempérament, de la classe, et pas le genre à rester les deux pieds dans le même sabot – il faut dire qu'elle n'est pas née dans la soie, elle a une revanche à prendre. Évelyne est fine. Les bijoux lui seraient très bien allés. Mais bon, après ce qui s'est passé, elle ne peut pas décemment lui donner ses bijoux.

Elle n'a rien dit, parce que Jean-Christophe est son préféré, et que Philippe, au fond, ne l'avait pas volé, si triste, si morose – Évelyne ne devait pas s'amuser tous les jours. Mais tout de même, entre frères, ça ne se fait pas.

Elle aurait préféré ne jamais être au courant, mais qu'est-ce qu'elle y peut si elle les a surpris ? Venir faire ça chez elle, tout de même, quel culot ! Ils n'étaient pas fiers, tous les deux, et elle… mon Dieu, c'est sans doute un des pires moments de sa vie. Elle a refermé la porte, abasourdie, puis elle a couru se réfugier dans sa chambre. Deux minutes plus tard, elle les a entendus partir. Il y a des moments qu'on voudrait effacer.

Jean-Christophe est venu la trouver quelques jours plus tard. Il ne faisait pas le fier, pour une fois :

– Je voulais que tu saches : entre elle et moi, c'est fini. Ça n'aurait jamais dû avoir lieu.

– Je ne te le fais pas dire !

– Je regrette, si tu savais. Nous regrettons tous les deux.

– J'espère bien !

– Jure-moi que tu ne diras rien.

Elle l'a regardé de travers, et n'a rien répondu. Il avait eu le toupet de venir faire *ça* chez elle ; il fallait bien le laisser mijoter un peu sur les charbons ardents.

– Maman, s'il te plaît, jure-le-moi !

Tout de même, elle a fini par le prendre en pitié :

– Ne te fais pas de souci. Tu me connais : je ne vais pas aller semer la zizanie dans ma famille.

Il l'a regardée d'un drôle d'air, pas rassuré. Elle s'est dit *très bien, au moins il n'est pas près de revenir chez moi pour ses parties de jambes en l'air.*

Elle a respecté sa parole : elle n'a rien dit. Mais cela doit bien être noté quelque part, dans un de ses petits carnets.

Finalement, elle a décidé de donner ses bijoux à Geneviève. Geneviève est comme ses sœurs – gros doigts et vilaines mains. Geneviève ne s'intéresse pas aux bijoux – *la quincaillerie*, comme elle dit; elle n'a pas tort. Mais l'amie de Geneviève est une très belle femme, dans le genre d'Évelyne, en fait, très classe. Elle ne l'a jamais rencontrée, bien sûr – il y a des limites –, mais un jour elle a vu sa photo, en ouvrant le portefeuille de Geneviève. Une fille mince, avec de beaux cheveux et un joli sourire. Comment s'appelle-t-elle, déjà ? Catherine. Catherine et Geneviève. Au moins vingt-cinq ans que ça dure. Une amie, soi-disant, mais tout le monde se doute, même si on ne le dit pas – il y a des limites. Vingt-cinq ans, un quart de siècle, ça fait tout de même un bon bout de chemin ensemble. Catherine doit avoir dans les cinquante, cinquante-cinq ans maintenant. Sûrement pas sotte – chirurgien pédiatrique, c'est un beau métier, et utile. Elle aurait aimé la connaître. C'est idiot de ne pas avoir voulu la recevoir. Toutes ces années perdues, vraiment, c'est bête. Maintenant, c'est trop tard. Enfin, au moins Geneviève héritera des bijoux, pour Catherine. Catherine Balsant. Elle l'a fait stipuler dans le testament.

Il restait à régler la question de la quotité disponible – le notaire lui a bien expliqué –, un quart de son patrimoine dont elle peut disposer comme elle l'entend : soit la donner intégralement à l'un de ses enfants, soit la répartir à son gré entre plusieurs d'entre eux, soit la léguer à ses petits-enfants, soit… En vérité, elle peut en faire ce qu'elle veut.

Elle a bien réfléchi – elle voulait être juste, vraiment –, et elle a fini par prendre une décision. Voilà déjà longtemps qu'elle y pensait, à vrai dire. Le problème, c'est les enfants.

Elle a appelé Philippe pour le mettre au courant, connaître son avis. Il était un peu surpris, au début, c'est normal. Mais elle lui a tout raconté en détail ; elle lui a expliqué ce que ça représentait pour elle, et combien c'était important. Au bout du fil, il n'arrêtait pas de répéter *je comprends, je comprends* d'une voix grave, légèrement émue, mais sans réticence. À la fin, il a dit :

– Maman, pour ce qui me concerne, je n'ai rien à objecter. Tu as le droit de disposer de ton argent comme tu l'entends. C'est pareil pour le trois pièces du centre-ville.

– Je me rends bien compte que c'est une grosse somme…

– Maman, on a déjà eu la maison de Normandie à la mort de papa, l'appartement de Cannes, et le chalet. Tu sais bien que personne ne manque de rien.

– Et tes frères et sœurs, à ton avis, qu'est-ce qu'ils vont en penser ?

– Le mieux serait sans doute de le leur demander.

– Non, non, ton avis me suffit. Ne leur dis rien, s'il te plaît. Pas un mot. Je peux te faire confiance ?

– Si tu y tiens, maman, je ferai comme tu veux.

Philippe. Elle ne s'est jamais vraiment préoccupée de lui – il a toujours été si triste, si détaché de tout. Maintenant qu'elle y pense, elle se dit que c'est sans doute lui qui aurait mérité d'être son préféré. Lui, n'a jamais couru après l'argent – pas comme les autres, d'ailleurs, ils ne s'entendent pas très bien. Pour la quotité disponible, elle se doutait qu'il ne ferait pas d'histoire. C'est d'ailleurs pour ça qu'elle l'a appelé, lui : en regardant les documents remis par le notaire, elle s'est rendu compte qu'il était le seul à ne lui avoir jamais rien réclamé.

Lorsqu'elle a annoncé à Me Échel qu'elle voulait léguer l'intégralité de la quotité disponible à Samira, il s'est un peu crispé :

– Samira… la jeune femme qui m'a ouvert la porte tout à l'heure, c'est bien ça ?

– Oui, c'est ça.

– Cela fait longtemps que vous connaissez *cette personne* ?

– Suffisamment.

– Pardonnez-moi d'insister, mais… il s'agit d'une somme très importante. Vous en avez conscience ?

Elle a plissé les yeux et l'a dévisagé de son regard bleu vif :

– Je sais ce que vous pensez, Maître. Je sais ce que vous *soupçonnez*, mais ce n'est pas ça. Samira travaille chez moi depuis plus de cinq ans et, voyez-vous, elle est devenue pour moi plus qu'une employée. Elle est devenue… (Là, elle s'est tue. Elle n'aime pas parler de ses sentiments. Le notaire n'avait pas besoin de savoir.) Durant ces cinq années, jamais Samira n'a cherché à profiter de la situation. Pas une fois. Pourtant, elle aurait pu – je crois même que cela ne m'aurait pas choquée, voyez-vous, compte tenu de ce que je sais de sa vie…

Il a eu un bref sourire, et a hoché la tête :

– Et vos enfants ?

– Mes enfants sont comme moi, riches à crever : ils auront leur part, et Samira la sienne. C'est justice. Je veux être juste. Et j'ai pensé à tout, figurez-vous. Regardez ce que j'ai noté là, sur mon petit carnet : *13 décembre, longue conversation téléphonique avec Philippe. Il est d'accord pour que la quotité disponible aille intégralement à Samira.* Vous voyez, Maître, j'ai pris soin d'appeler l'un de mes fils pour lui demander son avis et lui faire part des raisons qui ont motivé ma décision. Les autres n'ont pas besoin d'être au courant pour l'instant. Mais je suis sûre que Philippe saura leur expliquer, le moment venu, que ma décision a été prise en toute lucidité. Qu'est-ce que vous en pensez ?

Le notaire a souri :

– Je pense que vous allez faire un très beau testament.

Voilà, tout est réglé : le testament chez le notaire, rédigé en bonne et due forme devant deux témoins – une employée de l'étude et l'ami médecin qui a ramené Henri à la maison, la nuit où... Il est âgé maintenant, mais très en forme, et elle a eu la preuve qu'il sait être discret.

Le notaire voulait conserver ses carnets. Il a dit qu'ils étaient des documents *de référence*, en quelque sorte, pour le cas où l'un des enfants contesterait les termes du testament. Elle ne voit pas trop ce qu'ils pourraient contester, puisqu'elle a été parfaitement équitable, mais quoi qu'il en soit, elle préfère que le notaire conserve ses carnets : cela évitera que les enfants ne tombent dessus en fouillant ses placards. Oh, oui, quand elle y pense, c'est bien mieux, avec tous ces détails intimes qui ne les regardent pas, et ce qu'elle a mis là-dedans sur les uns, sur les autres, ce serait une belle pagaille.

Elle a dit au notaire : *Bien sûr, Maître, vous aurez les carnets : il ne faut pas que mes enfants les lisent. Mais rien ne presse, j'ai encore un peu de temps devant moi, je ne veux pas déjà m'en séparer – ils sont ma mémoire, vous comprenez, ma mémoire je ne peux pas l'abandonner, ça me fait peur, et puis, je veux continuer à noter, si je peux, deux trois choses, jusqu'à la fin.*

Le notaire a dit *d'accord, si vous voulez.* Comme elle sentait qu'il se retenait d'ajouter *mais n'attendez pas trop longtemps, tout de même* – c'est un homme courtois – elle a répondu, pour le rassurer : *Ne vous en faites pas, Maître, je saurai quand ce sera le moment.*

C'est convenu entre eux : dès qu'elle le souhaite, elle passe un coup de fil, et il enverra un employé de l'étude récupérer les carnets qu'il conservera en dépôt – les notaires sont aussi là pour ça, conserver les secrets.

En attendant, elle garde sa mémoire, ses carnets enfermés dans le secrétaire de sa chambre, numérotés, rangés dans l'ordre, la clé dans le tiroir de sa table de nuit.

Et maintenant, ils sont là, autour d'elle. Elle les entend chuchoter de très loin, si loin, comme si déjà elle était partie. C'est le moment, bientôt, mais ce n'est pas grave, parce que tout est en ordre. Elle a été juste, pour une fois ; elle a bien fait les choses. Les enfants seront contents. Il ne lui reste plus que ce coup de fil à donner.

Elle les sent s'agiter. Pourquoi se mettent-ils à crier ? Il se passe quelque chose. Une porte claque, ou bien est-ce une fenêtre ? Où vont-ils ? Où vont-ils ? *Mes chéris, ne partez pas !*

Elle se sent remonter brusquement, effleurer le seuil de la pleine conscience. Et voilà qu'elle émerge à l'air libre qui, soudain, s'emplit d'un hurlement – une bête, un chien, sans doute, une longue plainte, lugubre et modulée.

Elle entend grincer le portail du jardin, les piétinements sur le gravier de l'allée. Ses enfants. L'un d'eux crie :

– Va-t'en ! Allez, va-t'en, sale bête !

Mes chéris, ne vous en faites pas pour ça. Ça ne me dérange pas.

Elle doit passer ce coup de fil, tout de même, trouver la force, à cause des petits carnets. Le téléphone n'est pas loin, sur la table de nuit – de quel côté, au fait ? Elle voudrait l'atteindre, mais impossible, elle ne sent plus son corps, déjà, elle est ailleurs.

Il faut téléphoner, téléphoner, se répète-t-elle. *Téléphoner à qui ? Téléphoner pourquoi ?* Elle ne sait plus, et voilà qu'elle s'enfonce à nouveau. Déjà elle n'entend plus les hurlements du chien, ni les cris de ses enfants. Elle ne pense plus à ce coup de fil qu'il lui fallait passer, ni aux petits carnets, ni au poids des regrets. Elle ne pense plus à rien, seulement à ce qu'elle sent maintenant approcher, et à la peur immense qui soudain la transit.

Maman, tu as semé la zizanie entre tes enfants.
Repose.

France,
début du XXIe siècle

Quistinic

Elle savait que, tôt ou tard, cette histoire la mènerait à Quistinic. Dès le début, elle l'a su. C'est comme un devoir qu'elle s'est assigné, un devoir de mémoire bien dérisoire – il ne lui reste rien, ou si peu : de mauvaises photocopies du livret de famille de ses arrière-arrière-grands-parents, Paul-Jean et Marie-Julienne, le livret militaire de son arrière-grand-père. Pas de photos, pas d'écrits, pas le moindre objet : les gens pauvres ne laissent rien derrière eux, en général, seulement des souvenirs, qui demeurent ou se perdent. Dans sa famille, rien ne s'est transmis. Un siècle, et tout est oublié.

C'est pour cela qu'elle a ressenti le besoin de voir où ils sont enterrés. Se recueillir sur leur tombe, bien qu'elle ne croie en rien. Se tenir aussi proche d'eux qu'elle peut encore l'être, et avoir sous les yeux une trace tangible : leurs noms sur une pierre.

Elle sait qu'elle ne peut pas imaginer ce qu'a été leur vie, seulement entrevoir, esquisser à grands traits un tableau aussi gris et brouillé que les photocopies du livret de famille trouvées dans les papiers de son grand-père, après sa mort. Elle les conserve dans une pochette orange à élastiques qu'elle a posée sur son bureau, pour l'avoir tout le temps sous les yeux. Parfois, elle fait une pause, ouvre la pochette, et elle lit : en dix-huit ans de mariage, Paul-Jean et Marie-Julienne ont eu quinze enfants; ça en fait des prénoms, des dates de naissance et de mort, avec, souvent, si peu d'écart entre les deux.

Ces dernières semaines, elle a tout relu plusieurs fois par jour, clac, clac, les élastiques, et ces pages trop sombres – on dirait que l'encre des photocopies part en poussière. Penser à tout scanner avant que cela ne s'efface. Penser à retranscrire.

À force, elle sait par cœur chaque date, chaque prénom; ce n'est pas grand-chose, malgré tout bien assez pour lui serrer la gorge : sur quinze enfants, seulement quatre ont dépassé trente ans.

Son arrière-grand-père était de ceux-là. Dans le livret de famille, il est entouré d'enfants morts : avant lui, trois bébés – trois garçons – dont aucun n'a vécu au-delà de trois semaines. Après lui, un autre garçon, décédé, lui aussi, avant l'âge d'un mois. On a donné à son arrière-grand-père le prénom du bébé disparu l'année précédant sa naissance : Louis.

En le voyant cerné par tous ces morts, elle pense au néant qui aurait pu l'attirer dès le berceau, l'emporter avec les quatre autres – trois petites semaines et puis s'en va. Elle pense au rameau qui se serait tranché net, s'il n'avait pas survécu : cinq enfants, seize petits-enfants, trente-deux arrière-petits-enfants, dont elle-même fait partie. Elle se dit *pourquoi lui, et pas les autres ? À quoi cela tient-il, à quel incompréhensible hasard ?* Elle essaie de se figurer l'incalculable enchaînement de miraculeuses survies qui, de siècle en siècle, ont rendu possible sa propre existence. Ça lui donne le vertige – celui qu'éprouverait le super-gagnant d'une loterie absurde et cruelle.

C'est aussi pour cela qu'elle a voulu se rendre à Quistinic : aller voir ceux des quinze enfants dont la vie s'est arrêtée trop tôt – quelques semaines, un an, vingt ans, vingt-cinq. La faute à la misère, à la guerre, à pas de chance. Aller les voir, c'est le moins qu'elle pouvait faire, elle qui n'a connu ni la misère ni la guerre. Elle qui a eu de la chance.

Le cimetière est plus grand qu'elle ne l'imaginait, parfaitement entretenu, avec des rangées de tombes impeccables, en pierre marbrière, des allées de gravier éclatant de blancheur. Elle s'attendait à autre chose, des dalles de granit mangées de lichen, des croix penchées, des herbes folles. Un lieu un peu sauvage, un peu abandonné, à la fois lugubre et paisible. À voir ces tombes, dont la plupart paraissent si récentes, elle ressent comme une déception, une vague appréhension.

Elle avance en direction de la grande croix de pierre qui se dresse au fond de l'allée centrale. Son père lui a indiqué l'emplacement du caveau. Il est venu ici parfois, lorsqu'il était enfant ; il n'était pas très grand, six ou sept ans, mais il se souvient bien.

Deux heures sonnent au clocher de l'église, sur la place, là-bas. Elle se sent émue comme pour un rendez-vous.

Parvenue à la croix, elle compte les allées depuis le mur du fond, tout en continuant d'avancer – un, deux, trois… Elle s'engage dans la quatrième, sur la droite, comme lui a dit son père, et se met à la remonter lentement, avec précaution – c'est toujours ainsi que l'on marche dans les cimetières : aussi doucement et silencieusement que possible, comme si les morts dormaient là d'un sommeil léger que le bruit de nos pas risquerait de troubler. Elle avance, scrutant les inscriptions sur chaque sépulture, espérant chaque fois avoir trouvé la bonne, et sentant peu à peu grandir l'appréhension qui s'est emparée d'elle dès qu'elle est arrivée.

**

– Allô papa ? C'est moi.
– Ah, ma chérie ! Alors, tu es à Quistinic ?
– Oui, papa. Je suis allée au cimetière.
– Tu as trouvé la tombe ?

220

– Non, je ne l'ai pas trouvée.

– Ah…, fait son père, déconcerté.

– J'ai regardé dans la quatrième allée en partant du fond, sur la droite. C'est bien l'emplacement que tu m'avais indiqué ?

– Oui, c'est ça.

– Tu ne peux pas t'être trompé ?

– Non, je suis sûr. Je me souviens même que tout au fond, à droite, il y avait l'ossuaire.

– L'ossuaire, oui, je l'ai vu. Il est bien où tu dis.

– Alors, tu vois, mes souvenirs sont exacts.

– Papa, dans la quatrième allée, il n'y a rien. J'ai vérifié les deux allées d'après, et aussi celles d'avant, au cas où… La tombe n'existe plus ! Comment c'est possible qu'une tombe disparaisse, comme ça ? !

À l'autre bout du fil, son père ne répond pas.

– On ne peut tout de même pas détruire une tombe sans prévenir personne ! insiste-t-elle.

– Non… Non, bien sûr, finit-il par murmurer. Quand une concession arrive à expiration, on recherche la famille pour lui demander si elle veut payer pour la renouveler.

– Ça veut dire que quelqu'un de la famille a été prévenu, et n'a pas voulu payer ? !

– J'imagine.

– Qui a bien pu faire ça ?

– Aucune idée. Tu sais, on est nombreux, et on n'a pas beaucoup de contacts les uns avec les autres, alors ça peut être un peu n'importe qui…

Je ne sais pas... Il faudrait que tu ailles voir à la mairie. Ils pourront sûrement te renseigner.

***

Il est près de quatre heures lorsqu'elle quitte la mairie. Assis sur le perron, un vieux chien la regarde, un clébard jaunâtre à l'air fatigué, sec et pelé comme un vieux paillasson. Elle le reconnaît : il était sur la place de l'église, tout à l'heure, lorsqu'elle a garé la voiture. En la voyant, il est venu fureter un moment autour d'elle, puis il a filé du côté du monument aux morts, et il a disparu. À présent, il se tient là, assis, si raide, si immobile, qu'il paraît pétrifié. En passant, elle ne peut s'empêcher de croiser son regard, et croit y déceler une compassion qui la met mal à l'aise, tant cela paraît absurde. Elle se détourne vite, et sort son portable pour appeler son père.

— Alors, tu as du nouveau ?
— Non, papa, rien de concret. À la mairie, ils n'ont rien pu me dire. Le service des archives a brûlé en 86. Tous les registres sont partis en fumée. Ils ont perdu la mémoire du cimetière !
— Ah, c'est vraiment pas de chance...
— J'ai insisté, malgré tout, pour savoir s'il n'y avait pas moyen de comprendre ce qui s'était passé. J'étais dans tous mes états. Lorsqu'ils m'ont demandé qui était enterré dans la concession

222

que je recherchais, je n'ai même pas su quoi leur répondre, précisément !

– Il y avait mes deux grands-oncles morts à la guerre de 14, ça j'en suis sûr. Les autres, je ne sais pas… Je crois que les bébés de mes arrière-grands-parents ont été mis dans le carré des enfants, qui était vers la porte du cimetière, il me semble. Pour le coup, je ne suis plus très sûr. J'étais gosse, tu comprends, et de toute façon, eux, on n'allait jamais sur leur tombe, je ne sais pas pourquoi.

– Le carré des enfants, je ne l'ai pas vu. Ils ont dû le supprimer, lui aussi !

Silence au bout du fil.

– Papa, tout a disparu, tu te rends compte ?!

Elle aimerait que son père réagisse, se mette à l'unisson de sa propre déception. Elle lui en veut un peu de demeurer si calme, si résigné, alors qu'elle-même se sent si bouleversée.

– Qu'est-ce que tu veux que je te dise ? finit-il par répondre d'une voix triste et lasse. Des morts vieux de plus d'un siècle, des morts dont on ne sait rien… Plus personne ne venait – personne que je connaisse. Ce n'est pas si étonnant que les tombes aient disparu. Je n'ai pas voulu te le dire quand tu m'as fait part de ton projet, mais c'était un risque, évidemment. Cela fait si longtemps…

Elle rumine un instant, puis repart à l'assaut :

– Et Paul-Jean, ton arrière-grand-père, il était où dans le cimetière ? Avec ses fils morts à la guerre ?

– Je ne me souviens pas… Non, je ne crois pas. Tu sais, à sa mort, la famille s'est retrouvée dans une telle misère que… qu'on l'a sans doute mis dans le carré des indigents. Une concession, c'était trop cher, tu comprends ?

Elle hoche la tête en silence, le cœur serré, repense aux dates du livret de famille : Paul-Jean est décédé le 24 juillet 1906, à quarante-deux ans, d'une maladie foudroyante dont personne n'a su préciser la nature. Son dernier fils est né deux mois plus tard, le 28 septembre. À la mort de son mari, Marie-Julienne était donc enceinte de sept mois. Elle s'est retrouvée seule, sans ressources, avec huit enfants et un bébé à naître. Il n'est pas impossible qu'elle n'ait eu d'autre choix que de faire mettre le corps dans la fosse commune.

Ensuite, elle s'est débrouillée comme elle a pu, a travaillé dur. Les enfants aussi, même les tout petits, paraît-il – des années noires sur lesquelles le silence s'est fait. Personne n'avait envie de trop se souvenir.

– Tu m'écoutes ? lui demande son père.

Elle n'a rien écouté, mais répond tout de même :

– Oui, bien sûr.

Il n'est pas dupe :

– Donc, je te disais que pour mes deux grands-oncles, je pense que c'est l'État qui a payé les frais des funérailles, parce qu'ils étaient morts pour la France. Sans ça, leur mère n'aurait certainement pas eu les moyens.

– Sans la guerre, elle n'aurait peut-être pas eu à se soucier d'enterrer ses deux fils, réplique-t-elle, amère.

– C'est sûr…

– Bref, il ne reste plus rien, pas un endroit pour se recueillir, pas une trace. À la mairie, ils m'ont dit qu'on pouvait effectuer des démarches pour vérifier qu'ils sont bien dans l'ossuaire.

– On pourra faire ça, si tu veux.

Elle ne répond rien. En fait, elle ne sait pas trop si elle en a envie, au bout du compte : aller voir une tombe, c'est une chose ; mais un crâne dans une boîte sur un rayonnage, avec une étiquette…

– Ça va ? lui demande son père.

– Oui, ça va.

– Je suis désolé, ma chérie.

– Moi aussi, papa, moi aussi, mais… on va dire que c'est la vie.

Il soupire :

– Qu'est-ce que tu vas faire, maintenant ?

– Je vais rentrer.

– Tu pourrais aller te balader pour te changer les idées. C'était très joli ce coin, autrefois. J'imagine que ça l'est toujours.

– Oui. Oui, mais… je ne sais pas comment dire… c'est… étrange. Il n'y a personne ici, pas un chat. On dirait un village endormi. De toute façon, il faut que je rentre ; j'ai du travail.

– Où tu en es, avec ton livre ?

– J'ai presque fini. Il ne me reste plus qu'une histoire à écrire.

– Ah, c'est bien.

– Oui, mais c'est plus compliqué que je ne pensais.

– Je t'ai toujours entendue dire ça !

Elle sourit :

– Je vais te laisser, papa. Je t'embrasse.

– Je t'embrasse, ma chérie. Sois prudente sur la route.

**

C'est seulement au moment où elle a raccroché qu'elle a réalisé où elle se trouvait : tandis qu'elle parlait avec son père en marchant dans ces rues désertes, bordées de belles maisons austères aux volets souvent clos, elle est revenue, sans même s'en rendre compte, à l'entrée du cimetière. Elle a hésité un instant : à quoi cela servirait-il d'y retourner, sinon à remuer le couteau dans la plaie ? Et pourtant, inexplicablement, elle éprouvait le besoin de le faire. Sans chercher à comprendre, elle a glissé son portable dans son sac, et a poussé la grille.

Maintenant, elle avance dans l'allée en direction de la croix, comme tout à l'heure, lorsqu'elle est arrivée. Elle regarde les sépultures, les unes chargées de fleurs, les autres toutes nues, et se récite en marchant les prénoms de ceux qu'elle était venue visiter aujourd'hui – Mathurin, Louis, Pierre, Arthur, Valentin, Joachim, Marie-Antoinette, et tous les autres. Elle s'était dit, absurdement, que cette visite au cimetière apaiserait le vague sentiment de culpabilité qu'elle éprouve à l'égard de ces gens que l'on a oubliés. À présent, elle se demande si retrouver leur tombe aurait changé quelque chose – qu'est-ce qui peut, finalement, consoler de l'oubli ?

Un jour, elle a reproché à son père de n'avoir jamais cherché à connaître le passé familial. Il avait quatorze ans lorsque son arrière-grand-mère Marie-Julienne est morte. Il la voyait chaque fois qu'il rendait visite à ses grands-parents, qui l'avaient accueillie chez eux, à Hennebont, lorsqu'elle était devenue trop âgée pour vivre seule à Quistinic. Il en parlait comme d'une petite vieille en coiffe blanche et robe de velours noir, qui passait ses journées assise devant la cheminée, à lire la vie des saints dans un énorme livre. Elle croyait en Dieu, mais aussi aux génies, elfes et korrigans qui habitaient la lande. C'était tout ce que son père pouvait lui raconter. Pourquoi ne s'était-il jamais intéressé à la vie de cette femme presque centenaire, qui avait élevé et perdu tant d'enfants, traversé tant d'épreuves, et devait avoir des milliers de souvenirs à raconter ? Pourquoi n'avait-il pas pris le temps de l'interroger ?
Son père lui a répondu doucement :

– Il y a une chose dont tu ne te rends pas compte : mon arrière-grand-mère et moi, on ne parlait pas la même langue. Elle ne comprenait pas le français, seulement quelques mots ; et moi, je n'ai pas appris le breton – mes frères, ma sœur et moi, on a été la première génération à ne pas le parler. Alors, même si j'avais voulu lui faire raconter ses souvenirs, ce n'était pas possible, tu comprends… Jamais je n'ai pu communiquer avec elle. Mon arrière-grand-mère, c'était un autre monde.

Elle a regardé son père, médusée. La barrière de la langue. Elle n'avait jamais envisagé les choses sous cet angle – ça ne l'avait pas même effleurée. *Un autre monde.* Jamais encore elle n'avait mesuré avec tant d'acuité l'ampleur du fossé qui s'était creusé au sein de sa propre famille, en trois générations.

– Et ton grand-père, a-t-elle soufflé, obstinée, parce qu'elle ne voulait pas lâcher l'affaire aussi facilement, pourquoi tu n'as jamais essayé de lui faire raconter comment était la vie lorsqu'il était enfant, à Quistinic, et ensuite, après la mort de son père ?

– Mon grand-père, il ne parlait pas beaucoup. Il était toujours sombre et grave. Je crois que c'était à cause de la guerre ; il ne s'en était pas remis.

Son père s'est arrêté un moment, a souri avec mélancolie, avant de murmurer :

– Mon grand-père, c'était un géant. Immense, il était. Je me souviens, il dépassait tout le monde. Et ses mains aussi étaient immenses, des mains d'ouvrier, très larges, et d'une force incroyable. Quand j'étais gosse, j'étais fasciné par ses mains, cette force. On passait beaucoup de temps ensemble, lui et moi. Mais jamais il ne m'a parlé du passé. Juste une fois.

– Qu'est-ce qu'il t'a raconté ?

– Un souvenir de guerre, terrible.

Il a marqué une pause. Elle a senti qu'il hésitait, comme s'il regrettait d'en avoir trop dit.

– Papa...

– Oui, oui, a fait son père. Laisse-moi juste le temps de...

Il a fermé les yeux, un bref instant, puis d'une voix très basse, étrangement profonde, qu'elle ne lui connaissait pas :

– Un jour, durant la guerre, il a livré un combat au corps à corps avec un soldat allemand, dans une tranchée. L'Allemand, c'était un jeune, comme lui. Ils ont roulé tous les deux dans la boue, et mon grand-père, pour s'en sortir, eh bien, il a été obligé de... d'étrangler le soldat à mains nues. Il a appuyé ses pouces de chaque côté de la trachée, de toutes ses forces, jusqu'à ce que... Voilà. À la fin, mon grand-père m'a dit : *Jamais je n'oublierai son visage. Même maintenant, plus de quarante ans après, je le vois encore. Presque toutes les nuits, je le vois.* Il ne l'avait jamais dit à personne. J'avais dix ans, et je m'en souviens comme si c'était hier. Après, je n'ai jamais pu regarder les mains de

229

mon grand-père sans penser à ce soldat qu'il avait étranglé. Parfois, je me dis qu'il m'a raconté cette histoire parce qu'il ne voulait pas que j'admire trop sa force. Ou alors il voulait qu'on soit deux à penser à ce soldat allemand qu'il avait tué dans la tranchée, parce que, peut-être, pour lui tout seul, ça devenait trop lourd. Je ne sais pas…

Son père s'est arrêté ; il ne pouvait plus parler. Au bout de quelques instants, il a juste ajouté :

– Voilà. C'est tout ce que je peux te dire.

Ensuite, il s'est mis à pleurer. Elle s'est demandé si c'était au souvenir de ce grand-père brisé, ou à cause du regret de n'avoir pas su, ou pas pu, recueillir davantage la mémoire du passé.

En repensant à cette scène, elle se dit qu'après tout, il vaut peut-être mieux ne pas en savoir plus. C'est déjà assez triste comme ça.

Dans le livret militaire de son arrière-grand-père, il y a ses faits d'armes. Quatre ans de guerre, de Salonique à Verdun. Deux blessures : *séton poignet gauche*, *balle entrée joue droite* – la balle est ressortie à l'arrière du cou ; par miracle, ni l'artère jugulaire ni la moelle épinière n'ont été touchées. Il y a également deux citations, soigneusement conservées dans une enveloppe beige. La première date du 1er mai 1916 : *Soldat dévoué et courageux. A fait partie comme volontaire d'un détachement qui, chargé d'opérer un coup de main, a dû soutenir un violent combat de grenades dans les tranchées allemandes.* La seconde, du 10 juillet de la même année : *A occupé comme volontaire, trois jours et trois nuits consécutifs, un poste particulièrement exposé aux coups de l'ennemi.*

Elle a aussi trouvé, glissée dans le livret, la réponse à la demande d'inscription dans l'ordre de la Légion d'honneur que son arrière-grand-père avait adressée aux autorités militaires à la fin de sa vie. La lettre l'informe que, pour prétendre à une telle distinction, il faut faire valoir cinq titres de guerre, avant de conclure : *J'ai l'honneur de vous faire connaître qu'il ne m'est pas possible de retenir la demande de candidature que vous m'avez adressée le 5 décembre 1960. En effet, vous n'êtes titulaire que de quatre titres de guerre (deux blessures, deux citations).* Pas de formule d'introduction. Pas de formule de politesse. Seulement cette fin de non-recevoir, sèchement énoncée : quatre titres, au lieu de cinq – le compte n'y est pas. Les deux petits frères morts pour la France à vingt ans ne sont pas comptés comme blessures de guerre.

Tandis qu'elle continue de marcher dans le cimetière désert, elle pense à l'amertume qu'a dû ressentir cet homme humble et silencieux, en recevant ce refus laconique. Oui, tout bien réfléchi, elle préfère ignorer tout ce que ses ancêtres ont connu de malheurs, subi d'humiliations – misère banale, sans doute, à l'époque, largement partagée, vécue sans révolte et sans bruit. Si elle savait, elle serait trop en colère.

C'est la fin de l'après-midi. Les rayons du soleil rasent la cime des arbres tout autour de l'enceinte, dansent dans leur feuillage, où le vent fait jaillir des éclairs de lumière. Ses chaussures sont pleines de petits cailloux blancs qui lui font mal aux pieds. Elle s'en fiche ; elle poursuit sa promenade entre les tombes. Elle a toujours aimé cette rêverie des cimetières, cette mélancolie qui l'étreint en lisant les noms, les dates, et en imaginant toutes ces vies éteintes.

Elle pense à son livre, à ces inconnus morts il y a parfois des siècles qui ont soudain pris corps, occupé son esprit et envahi sa vie tandis qu'elle écrivait. Elle n'a pas choisi de les faire revenir : ce sont eux qui se sont imposés, comme ressuscités par leur seule épitaphe, pour devenir ses familiers, fantômes légers, et parfois obsédants.

C'est aussi cela qu'elle était venue chercher aujourd'hui ici, à Quistinic : la tombe face à laquelle elle sentirait la présence des siens, l'inspiration pour sa dernière histoire. Elle voulait raconter ces retrouvailles, finir là-dessus. Elle sait maintenant que ce ne sera pas possible, parce qu'il n'y a plus rien. C'est une douleur étrange, un regret plus qu'un drame, un chagrin qu'il faudra balayer, parce qu'il y a bien plus grave, et qu'il serait obscène de s'y abandonner.

La voilà arrivée au fond du cimetière. Encore une rangée, et ensuite, elle s'en va. Alors qu'elle s'apprête à faire demi-tour, une sépulture soudain accroche son regard, lui met un coup au cœur : la tombe en face d'elle porte son nom de famille.

Elle s'approche, fébrile, portée par un espoir qu'elle devine illusoire, déchiffre avidement les prénoms sur les plaques qui parsèment la dalle : aucun d'eux n'est celui d'un enfant de Paul-Jean et Marie-Julienne. Aucun d'eux ne lui évoque quoi que ce soit.

Elle se souvient de ce que lui a dit son père, tout à l'heure : la famille est nombreuse, divisée en de multiples branches qui ont perdu contact au fil des décennies. Rien d'étonnant à ce que soient enterrés ici de lointains parents dont personne autour d'elle n'a entendu parler. C'est troublant, malgré tout.

Tandis qu'elle prend le temps de contempler la sépulture, afin de conserver les prénoms en mémoire, elle remarque soudain une plaque de marbre qui jusqu'ici lui avait échappé, presque entièrement masquée par une énorme gerbe de fleurs artificielles. Déplaçant légèrement la gerbe, elle découvre la plaque. Et son cœur, à nouveau, lui lance dans les côtes un grand coup qui lui coupe le souffle. *C'est fou*, se dit-elle en secouant la tête avec sidération. *C'est fou.*

Mais au fond, elle sait bien que ça n'a rien de fou ; c'est seulement la vie : on vient chercher une chose, et on en trouve une autre, à laquelle on ne s'attendait pas.

Tandis que les yeux rivés sur la plaque, elle essaie de reprendre peu à peu ses esprits, elle sent contre sa jambe un frôlement qui la fait sursauter : le chien de tout à l'heure se tient à ses côtés ; il l'a suivie jusque dans le cimetière – elle n'aurait pas dû laisser la grille ouverte.

– Qu'est-ce que tu fais là ? lui lance-t-elle, hargneuse. Dégage ! Allez, dégage !

Elle lui en veut de lui avoir fait peur, et puis, de toute façon, il n'a rien à faire là ; les cimetières, ça n'est pas pour les chiens.

Il lève vers elle un beau regard ambré, et gémit brièvement, en la fixant avec intensité.

– Pourquoi tu me suis comme ça ? Va-t'en, répète-t-elle.

Mais il ne bouge pas.

– Qu'est-ce que tu veux, au juste ?

Pour toute réponse, le chien avance le museau et vient frotter la tête contre sa cuisse pour solliciter une caresse. Elle recule, d'instinct : elle répugne à toucher cette bête décatie, sans collier, visiblement perdue, cette bête abandonnée qui ne ressemble à rien.

Le chien n'insiste pas. Il s'assied à ses pieds et la fixe en silence de son regard incroyable, sombre et profond, avec parfois comme des éclats dorés qui paraissent autant de lueurs d'intelligence. Elle soupire :

– Tu veux rester, c'est ça ? Eh bien, reste. Mais tu me laisses tranquille !

Il redresse les oreilles – on dirait deux morceaux de carton défraîchi –, puis il tourne la tête en direction de la tombe, comme pour la rappeler à la contemplation qu'il est venu troubler. Elle se tourne à son tour.

Ils demeurent longtemps côte à côte, elle debout, lui sagement assis comme un chien auprès de sa maîtresse, parfaitement immobiles. Elle garde les yeux fixés sur cette plaque de marbre sur laquelle les fleurs inclinent leurs pétales de tissu décoloré, et frissonne dans le vent qui forcit.

Un moment, elle frôle par mégarde le pelage du chien, et s'étonne de ne plus ressentir ni dégoût ni méfiance, seulement cette tiédeur sous ses doigts, étonnamment soyeuse. Et bientôt, tout naturellement, le frôlement se transforme en caresse, la tête du corniaud appuyée sur sa cuisse. Cela faisait longtemps qu'elle n'avait pas ainsi caressé une bête ; elle avait oublié le réconfort intense que cela peut procurer.

Le chien ne bouge pas, se contente de s'abandonner à sa caresse, comme s'il comprenait l'apaisement qu'elle éprouve. Sa main sur le pelage jaune mêlé de poils gris, c'est exactement cela dont elle avait besoin : un peu de chaleur, de douceur qui l'arrache à la sombre mélancolie émanant du cimetière, à sa tristesse de n'avoir pas trouvé la sépulture qu'elle était venue chercher, à l'émotion

235

qui l'a saisie lorsqu'elle a découvert la plaque cachée derrière les fleurs.

Elle le sait à présent, c'est ainsi que s'achèvera son livre, sa dernière histoire : devant cette tombe pleine de morts inconnus, ses parents lointains, avec contre elle ce vieux chien surgi de nulle part. Devant cette plaque de marbre reflétant son visage sur laquelle est inscrit : *Blandine Le Callet (1912-1975)*.

En mémoire de

Paul-Jean Le Callet (1863-1906),
de sa femme Marie-Julienne (1867-1962)

et de leurs enfants :

un garçon mort-né (1888),
Mathurin (1889-1889),
Louis (1890-1890),
Louis (1891-1966), mon arrière-grand-père
Mathurin (1892-1892),
Pierre (1893-1914),
Arthur (1895-1915),
Anne-Marie (1896-1959),
Théophile (1898-1899),
Joachim (1900-1928),
Valentin (1902-1927),
Jeanne-Marie (1903-1982),
Marie-Antoinette (1904-1905),
un garçon mort-né (1905),
Joseph (1906-1986).

Postface

L'idée de ce recueil m'est venue il y a plus de vingt ans, lors d'une visite au Musée gallo-romain de Lyon au cours de laquelle je suis tombée en arrêt devant l'épitaphe de Blandinia Martiola. C'est d'abord la coïncidence entre son prénom et le mien qui a attiré mon attention; puis j'ai été frappée par le caractère émouvant de ces lignes qui, par-delà les siècles, évoquaient le chagrin d'un homme à la disparition de sa très jeune épouse.

J'ai recopié l'épitaphe sur une page arrachée à mon agenda, et me suis prise à imaginer ce qu'avait pu être la brève vie conjugale de Blandinia avec Pompeius Catussa. J'étais depuis longtemps sensible à la puissance d'évocation des inscriptions funéraires, mais c'était la première fois que la lecture de l'une d'elles provoquait en moi un désir d'écriture aussi immédiat. C'est ainsi qu'est né le projet d'un recueil de nouvelles dont chacune s'inspirerait d'une épitaphe et raconterait les dernières heures, les derniers jours ou les derniers mois du défunt. J'ai pourtant attendu longtemps avant de le concrétiser, préférant laisser les épitaphes venir à moi au gré de mes voyages et de mes visites dans les cimetières ou les musées, les cherchant aussi un peu, parfois, mais avec la conviction diffuse qu'il fallait avant tout s'en remettre au hasard, et laisser faire le temps.

Lorsqu'en février 2010, Jean-Marc Roberts m'a annoncé qu'il acceptait de publier *La Ballade de Lila K*, je me suis aussitôt mise à réfléchir à mon prochain livre, et ces *Rêves de pierre* se sont tout naturellement rappelés à moi.

Mais j'ai eu beau fouiller dans mes archives, je n'ai pas réussi à remettre la main sur le bout de papier griffonné vingt ans plus tôt au Musée gallo-romain de Lyon. Cette perte m'a beaucoup contrariée : outre que j'allais devoir effectuer un déplacement à Lyon pour tenter de retrouver l'épitaphe – le Musée gallo-romain ne dispose pas d'un catalogue général en ligne –, le fait d'avoir égaré le texte d'une inscription sur laquelle j'avais fantasmé durant des années m'apparaissait comme un « signe » laissant mal augurer de la suite du projet.

À tout hasard, j'ai cependant envoyé, via le site internet du musée, un message demandant s'il était possible de me faire parvenir le texte de l'épitaphe de Blandinia, dont je retranscrivais de mémoire les grandes lignes. Quelle n'a pas été ma surprise de recevoir, une demi-heure plus tard, la réponse suivante :

Bonjour Madame
Cette inscription m'est d'autant plus familière, qu'elle figure dans l'exposition temporaire actuelle « Post Mortem, Rites funéraires à Lugdunum » (présentée jusqu'au 26 septembre), au titre d'une épitaphe qui s'adresse aux passants.
Ci-joint les renseignements et une photo.
Je reste à votre disposition pour toute information.
Bien cordialement,
Hugues Savay-Guerraz
conservateur, service scientifique
Musée gallo-romain, Lyon-Fourvière

J'ai considéré que cette réponse quasi immédiate m'indiquait que le projet pouvait désormais s'engager sous les meilleurs auspices.

Durant les mois qui ont suivi, j'ai continué de correspondre avec Hugues Savay-Guerraz qui m'a fourni de nombreuses précisions d'ordre archéologique ou historique, notamment le nom de Marcus Primius Secundianus, l'arrogant client de Pompeius Catussa. Je l'en remercie vivement.

J'ai découvert l'épitaphe d'Hermès lors d'une visite au département des Antiquités grecques,

241

étrusques et romaines du musée du Louvre à Paris.

Le tremblement de terre qui détruisit la ville de Nicomédie eut lieu aux alentours de 120, sous le règne de l'empereur Hadrien. Une dizaine d'années plus tôt, la cité avait été ravagée par un grand incendie que l'écrivain latin Pline le Jeune, gouverneur de la province de Bithynie, dont Nicomédie était la capitale, évoque dans une lettre à l'empereur Trajan (*Correspondance* X, 42).

L'épitaphe de Sibylle de Conversano est mentionnée par l'historien Orderic Vital (1075-1141 ou 1143) au livre XI de son *Historia ecclesiastica* consacrée, notamment, à l'histoire du duché de Normandie. Après avoir raconté au livre X les circonstances de la rencontre entre Sibylle et Robert Courteheuse à la cour du duc Roger Borsa, Orderic Vital livre le récit tragique de la mort de Sibylle, trois ans plus tard, ainsi qu'un portrait sulfureux d'Agnès de Ribemont, qu'il accuse d'avoir empoisonné la duchesse. Orderic Vital cite intégralement le texte de l'épitaphe qui – fait exceptionnel – ne mentionne ni le père ni l'époux de Sibylle, au point que certains commentateurs ont émis l'hypothèse qu'il s'agissait d'une marque de défiance à l'égard de Robert Courteheuse.

Orderic Vital ne dit rien, en revanche, de l'auteur de cette épitaphe si poétique et peu conventionnelle. J'ai imaginé qu'il s'agissait de Guillaume d'Apulie, auteur des *Gesta Roberti Wiscardi* qui raconte la conquête de l'Italie du Sud et de la Sicile par les seigneurs normands, dans le courant du xie siècle. Pour les besoins de ma nouvelle, j'ai fait de Guillaume d'Apulie le secrétaire particulier du père de Sibylle, le comte Godefroi de Conversano, neveu de Robert Guiscard.

La dalle funéraire de Sibylle n'existe plus aujourd'hui : elle a été brisée par les révolutionnaires en 1793. Merci à Jacques Tanguy, guide conférencier à Rouen et animateur du site internet http://www.rouen-histoire.com, pour les précisions qu'il m'a apportées concernant le devenir de la sépulture.

J'ai découvert l'épitaphe de Julien et Marguerite de Ravalet Tourlaville, décapités en place de Grève le 2 décembre 1603 pour adultère et inceste, dans l'ouvrage de Pierre Ferran intitulé *Le Livre des Épitaphes : la réalité dépasse l'affliction* (Paris, Éditions Horay, collection « Cabinet de curiosité », 2002).

Les détails historiques m'ont été fournis par le livre de Michel Carmona, *Une affaire d'inceste : Julien et Marguerite de Ravalet* (Paris, Éditions Perrin, 1991).

Après leur décapitation, Julien et Marguerite furent inhumés dans l'église de Saint-Jean-en-Grève, derrière l'Hôtel de Ville de Paris. Leur tombe et la plaque portant leur épitaphe ont disparu à la destruction de l'église au début du XIXᵉ siècle.

L'histoire de Marguerite et Julien a inspiré à Barbey d'Aurevilly une nouvelle intitulée « Une page d'histoire » (1887).

L'épitaphe de Jacques Jouet – à laquelle j'ai apporté de très légères corrections sans lesquelles le texte était difficilement compréhensible, sans nullement modifier le sens général – est extraite d'un ouvrage intitulé *Une voix du Père-Lachaise, ou ses inscriptions jusqu'en 1853*, sorte de « guide touristique » du cimetière écrit par un dénommé Prosper. Cet extrait figure sur le site internet de l'Association des Amis et Passionnés du Père-Lachaise, qui offre la possibilité de consulter l'ouvrage de Prosper dans son intégralité à toute personne qui en ferait la demande.

J'ai appris l'existence de la « seringue à baptiser » en visitant l'exposition « Naissance » organisée en 2006 par le musée de l'Homme, à Paris. Je savais l'importance qu'avait revêtue dans la conscience chrétienne occidentale cette question du baptême des enfants, mais j'ignorais que l'obsession de sauver les âmes avait conduit à des baptêmes *in utero*. Cela m'a aussitôt rappelé une inscription lue au cimetière de Paladru – *Un ange au ciel* – et aussi l'histoire d'une paysanne bretonne du même village que mon arrière-grand-mère : cette femme était enceinte tous les ans ; et tous les ans elle accouchait au septième mois d'un enfant mort-né. C'est cela qui m'a inspiré la nouvelle « Les hortensias ».

J'ai appris ce qu'étaient les « sanctuaires à répit » en effectuant des recherches sur les limbes, dont l'existence a longtemps été professée par l'Église, sans pour autant constituer un dogme – le concept de limbes a d'ailleurs été officiellement abandonné par l'Église catholique romaine en 2007. Bien que la pratique des sanctuaires à répit ait été régulièrement condamnée par la papauté, certains sont demeurés actifs en France jusqu'au lendemain de la Première Guerre mondiale.

Par acquit de conscience, j'ai souhaité m'assurer de la crédibilité de l'histoire de cette paysanne bretonne qui perdait systématiquement ses bébés avant terme. Différentes maladies génétiques peuvent expliquer une fausse couche au cours du dernier trimestre de la grossesse, sans que la conformation extérieure de l'enfant ne présente la moindre anomalie. Parmi elles, la vasculopathie thrombotique fœtale – maladie transmise par le père – qui provoque la formation de caillots sanguins dans les vaisseaux du placenta. Merci à Raphaëlle Barnoux, médecin anatomo-pathologiste dans le service d'anatomie et cytologie pathologiques de l'hôpital de la Croix-Rousse à Lyon, pour les recherches qu'elle a effectuées pour moi à ce sujet.

L'épitaphe du cimetière de Paladru est du

xxᵉ siècle. Pour les besoins de mon histoire, je l'ai datée de 1880.

L'idée d'écrire « Printemps » m'est venue alors que j'étais en train de creuser la terre de mon jardin pour y planter un arbre. Brutalement se sont imposées à moi des images du film de Frédéric Rossif, *De Nuremberg à Nuremberg*, montrant des juifs ukrainiens obligés de creuser les fosses dans lesquelles ils seraient ensuite exécutés avec des centaines, voire des milliers d'autres. L'incongruité du rapprochement m'a bien sûr troublée : quoi de commun entre une paisible activité de jardinage durant une période de vacances et le calvaire d'un homme promis à l'extermination creusant sa propre tombe ? Quoi de commun, sinon le geste, au fond, strictement identique ?

Je me suis demandé s'il était possible que l'une de ces victimes de la barbarie nazie, creusant sa fosse, ait évoqué des images de vie, de fécondité, de printemps. En imaginant cette figure de résistant sans épitaphe, j'ai voulu croire que oui, et suivre la leçon des philosophes antiques affirmant qu'une forme de bonheur est possible, même au sein des pires horreurs.

Le destin tragique des juifs d'Ukraine et la chape de plomb recouvrant cette période de l'histoire du pays sont évoqués par Patrick Desbois dans son ouvrage *Porteur de mémoires : Sur les traces de la Shoah par balles* (Paris, Flammarion, 2009), qui retrace cinq années d'enquêtes passées à recueillir des témoignages concernant les massacres, et à rechercher la trace des charniers.

J'ai trouvé l'épitaphe de « Mon bébé » lors d'une promenade au Cimetière pour animaux d'Asnières-sur-Seine, un lieu bucolique et paisible où s'alignent de minuscules sépultures, parfois humbles, souvent luxueuses. Un lieu à la fois émouvant et pathétique, par tout ce qu'il suggère d'amour, de dévouement, d'atroce solitude, et parfois, de folie.

L'épitaphe qui a inspiré « Les petits carnets » m'a été fournie par un article d'Emmanuèle Peyret intitulé « Balade funéraire : quelques mots d'adieu » (*Libération*, 2 août 2010).

Merci à Mᵉ Bernard Échel, qui m'a apporté de nombreuses précisions juridiques concernant la transmission d'héritage, et a accepté de prêter son nom au personnage du notaire.

Je ne sais toujours pas à ce jour ce qu'il est advenu de la sépulture qui a disparu au cimetière de Quistinic. Mais j'ai pu en apprendre davantage sur les tragédies, et aussi les moments heureux, qui ont jalonné le passé de ma famille, grâce à Germaine Julien et Annette Chaume, respectivement fille d'Anne-Marie et petite-fille de Jeanne-Marie, les sœurs survivantes de mon arrière-grand-père. Merci à elles de m'avoir restitué un peu de la mémoire familiale, et de m'avoir renseignée sur Blandine Le Callet, qui ne se maria jamais, n'eut pas d'enfant, et fut toute sa vie institutrice à Quistinic. Mes parents n'avaient jamais entendu parler d'elle lorsqu'ils ont choisi mon prénom.

Ce livre n'existerait pas sans le soutien de mes proches. Merci particulièrement à Pierre-André et Valentine, mes premiers lecteurs, pour leurs critiques sévères mais toujours bienveillantes, et leurs encouragements.

Merci à Christine Bénévent et Véronique Merlier, amies précieuses, dont les remarques et suggestions m'ont été si utiles pour la mise au point de ce texte. À charge de revanche.

Merci enfin à Jean-Marc Roberts, mon éditeur, pour la confiance qu'il n'a jamais cessé de me témoigner.

Table

Pour l'éditeur, le principe est d'utiliser des papiers composés de fibres naturelles, renouvelables, recyclables et fabriquées à partir de bois issus de forêts qui adoptent un système d'aménagement durable.

En outre, l'éditeur attend de ses fournisseurs de papier qu'ils s'inscrivent dans une démarche de certification environnementale reconnue.

Cet ouvrage a été composé
par Dominique Guillaumin à Paris
et achevé d'imprimer en février 2013
sur Roto-Page
par l'Imprimerie Floch
à Mayenne
pour le compte des Éditions Stock
31, rue de Fleurus, 75006 Paris

Imprimé en France

Dépôt légal : février 2013
N° d'édition : 03 – N° d'impression : 84277
51-51-0476/5